ESPERANZA
para las
familias de hoy

WILLIE & ELAINE OLIVER

REVIEW AND HERALD® PUBLISHING ASSOCIATION

Since 1861 | www.reviewandherald.com

Diseño de la portada: Gerald Lee Monks
Arte de la portada: iStockphoto.com: FatCamera, Geber86,
    y monkeybusinessimages
Diseño del interior: Kristin Hansen-Mellish/Diane Aguirre
Copyright © 2018 by Review and Herald® Publishing Association

Los autores se responsabilizan de la exactitud de los datos y textos citados en esta obra.

A menos que se indica lo contrario, todas las citas de las Sagradas Escrituras están tomadas de la Santa Biblia, Nueva Versión Internacional® NVI® copyright © 1999 por Biblica, Inc.®. Utilizada con permiso.

Las citas marcadas con NTV están tomadas de la Santa Biblia, Nueva Traducción Viviente, © Tyndale House Foundation, 2010. Todos los derechos reservados.
Las citas marcadas con RVC están tomadas de la Reina Valera Contemporánea® © Sociedades Bíblicas Unidas, 2009, 2011.

Puede obtener copias adicionales de este libro en www.libreriaadventista.com, o llamando al 1-888-765-6955.

Publicado por Review and Herald® Publishing Association

Impreso por:Pacific Press® Publishing Association
        P.O. Box 5353, Nampa, Idaho 83653
        EE. UU. De N. A.

Printed in the United States of America

ISBN: 978-0-8280-2848-6

October 2018

Contenido

Introducción

Establecer una familia saludable es una de las tareas más desafiantes que los seres humanos pueden asumir. Por más que la gente se proponga entablar relaciones saludables en su familia, y a pesar de tener las mejores intenciones, esto sigue representando un desafío, porque todos somos humanos, y todos los seres humanos somos imperfectos. Nuestros defectos hacen que sea muy difícil mantener relaciones saludables.

Sin embargo, *hay* esperanza para las familias actuales. Las cosas *pueden* mejorar. Nuestros hijos pueden crecer, y convertirse en personas positivas y llenas de vitalidad. Podemos aprender a superar las actitudes negativas. Al adoptar las razones de Dios para crear la familia, es posible tener relaciones familiares más fuertes y saludables.

Una de las dinámicas importantes en las familias saludables es la calidad de su comunicación. La buena comunicación en una familia compuesta por ambos padres no difiere mucho de la buena comunicación en un hogar monoparental. Toda conversación significativa y relevante sobre las familias deberá abordar las luchas comunes que a menudo enfrentan las familias de todo el mundo.

Las relaciones familiares varían según las personas que componen esa familia en particular. No hay una forma única de abordar la dinámica familiar. Las interacciones entre las personas que conviven con tres o cuatro generaciones bajo el mismo techo serán un poco diferentes de las de un hogar que se limita a los padres y sus hijos menores de edad. No obstante, como ya se mencionó, los principios de las buenas relaciones familiares, en gran medida, son universales.

De Addis Abeba a Adelaida; de Bali a Buenos Aires; de Ciudad del Cabo a Chicago; de Dewas a Detroit; de Eldoret a Ensenada; de Florencia a Fortaleza; de Gaborone a Ginebra; de Haifa a Hanoi; de Estambul a Edimburgo; de Jerusalén a Juba; de Kuala Lumpur a Kabul; de Los Ángeles a Lahore; de Madrid a Mumbai; de Nueva York a Nairobi; de Orlando a Osaka; de Puerto Moresby a Ciudad de Panamá; de Quito a Ciudad Quezón; de Riga a Río

de Janeiro; de San Salvador a Shanghai; de Teguci-
galpa a Timisoara; de Ulaanbaatar a Uppsala; de
Volgogrado a Valparaíso; desde Washington D.C.,
a Varsovia; de Xi'an a Xalapa; de York a Yaoundé;
de la ciudad de Zanzíbar a Zaragoza; no importa la
latitud, existe en todo lugar una variedad de habilidades básicas disponibles para fortalecer y mejorar
las relaciones familiares en pueblos y ciudades de
todo el mundo.

En este librito, nos proponemos compartir varios aspectos esenciales para las relaciones familiares exitosas. Sin importar si eres soltero, casado, divorciado, con o sin hijos, joven o viejo, esperamos
que en estas páginas encuentres herramientas para
que tus relaciones apenas tolerables puedan llegar
a ser ¡magníficas!

En el capítulo 1 hablamos de cómo Dios diseñó
la familia desde el principio; por qué razones la familia es tan importante; y los diversos papeles que
desempeña en nuestra vida para darnos un sentido
de identidad y la estabilidad que necesitamos para
salir adelante.

En el capítulo 2 compartimos cuáles son las pautas que Dios estableció para el matrimonio y la necesidad de concentrarte más en lo que puedes *dar* que
en lo que puedes *obtener*. También compartimos
una metáfora importante que te ayudará a visualizar
fácilmente cómo puedes sacar el máximo provecho
del matrimonio, ocupándote en él todos los días.

En el capítulo 3 revelamos los secretos de la educación para el éxito. Criar niños hoy en día es más desafiante que nunca. Y formar el carácter de un niño es todavía más imperioso, ya que los niños se enfrentan a diario con valores que parecen oponerse a los valores de sus padres y son bombardeados con mensajes mixtos desde las redes sociales y muchas otras fuentes. Si quieres estar mejor preparado para enfrentar este tremendo desafío, debes leer este capítulo.

En el capítulo 4 comunicamos la importancia de comprender que la obediencia es indispensable para todos los que desean tener éxito en las relaciones. A menos que aceptemos los principios que Dios nos dejó para ayudarnos a desarrollar valores importantes que faciliten la paz y la felicidad en todas nuestras relaciones, la vida continuará siendo inferior a lo que Dios deseaba que fuera.

En el capítulo 5 escribimos sobre cómo los esposos y las esposas pueden transformarse en aliados íntimos. Advertimos que todo matrimonio avanzará naturalmente hacia un estado de aislamiento, a menos que los cónyuges se propongan todos los días desarrollar la intimidad entre ellos por medio del poder de Dios. Los casados que son íntimos a nivel emocional, financiero, espiritual e intelectual tienden a apoyarse mutuamente cuando son desafiados por alguna fuerza o persona externa.

En el capítulo 6 abordamos la importancia de

comunicarnos con gracia en todas nuestras relaciones. Como seres humanos, todos cometemos errores. Al abordar la actividad de la comunicación con gracia, podrás comunicarte dentro de un marco que facilite la intimidad y el crecimiento.

En el capítulo 7 compartimos información valiosísima sobre la naturaleza destructiva de la violencia y el abuso en la familia, y revisamos la intención original de Dios y su plan perfecto para las relaciones y las familias.

En el capítulo 8 revelamos evidencias científicas sobre cómo prevenir las crisis matrimoniales y el divorcio, a fin de que tu matrimonio sea un lugar de crecimiento, satisfacción y paz. Si estás casado o estás pensando en casarte en un futuro cercano, no deberías pasar por alto este capítulo.

En el capítulo 9 abordamos los procesos sociales que afectan a los solteros y la importancia de encontrar la paz contigo mismo y tus circunstancias, si eres soltero. También abordamos la realidad de que muchos solteros adultos desean casarse, y creen que su vida sería más fácil de manejar y vivir de manera responsable si esta fuera su realidad. ¿Es así? ¿Tienen los casados una ventaja en este mundo que habitamos? Te diremos cómo encontrar mayor paz en tu vida de soltero.

En el epílogo integramos los mensajes de cada capítulo, como piezas de un rompecabezas que, cuando se reúnen, comparten una imagen de la esperanza que Dios tiene para cada relación familiar.

Tener una familia relativamente saludable es un regalo de Dios. Requiere esfuerzo, intencionalidad y confianza en el Todopoderoso. Sin embargo, siempre debes recordar que Dios ha prometido estar contigo hasta el fin del mundo (S. Mateo 28:20) para darte su paz (S. Juan 14:27), y para suplir todas tus necesidades (Filipenses 4:19). A pesar de los desafíos que enfrentas cada día, confía en él y acepta el hecho de que *hay esperanza* para las familias de hoy.

1

La familia: la invención de Dios

Familia es una palabra maravillosa que suscita sentimientos cálidos en la mayoría de las personas en todo el mundo. Es lo primero en lo que las personas piensan cuando están en peligro, y también cuando hay algo bueno que compartir o celebrar. La familia es lo primero en nuestros pensamientos después de un tiempo de ausencia debido a los estudios o el trabajo. Después de estar lejos por algún tiempo, lo que más piensa la mayoría es en querer abrazar a sus seres queridos y disfrutar del entorno familiar de su hogar. Después de Dios, la familia es siempre el grupo más importante que nos hace sentir seguros, protegidos y acogidos.

La experiencia familiar no sucedió por casualidad. La familia fue el plan de Dios para la raza humana desde el principio de los tiempos. Es el grupo del que obtenemos nuestra identidad, nuestro nombre y nuestras tradiciones. La familia es la gente con la que tenemos una relación a largo plazo y, con frecuencia, con quienes nos sentimos más cómodos. La familia es casi siempre donde obtenemos la fuerza impulsora interna que influye en nuestros objetivos y aspiraciones, e incluso en nuestra sensación de bienestar: quiénes somos realmente o quiénes queremos llegar a ser.

Cuando pensamos en la familia, reflexionamos sobre nuestros padres, hermanos y hermanas, abuelos, tías, tíos, primos, cónyuges e hijos. A veces incluso consideramos a los buenos amigos como familia, porque

- crecimos juntos en la misma iglesia o barrio
- somos de la misma ciudad o país
- pertenecemos a la misma tribu o región
- nos adaptamos o conectamos de alguna manera especial
- compartimos valores, objetivos o afinidades similares

Lo que nos viene a la mente cuando pensamos en familia son nuestros recuerdos de rostros, formas, fragancias o conversaciones; espacios privados y públicos; una casa o apartamento, una ciudad o un suburbio; una granja o un pueblo, una iglesia o una escuela; una cocina y alimentos.

En el libro del Génesis, Moisés describe los comienzos de la familia de esta manera: "Y Dios creó al ser humano a su imagen; lo creó a imagen de Dios. Hombre y mujer los creó, y los bendijo con estas palabras: 'Sean fructíferos y multiplíquense; llenen la tierra y sométanla'" (Génesis 1:27, 28).

La Biblia, la literatura inspirada que describe la conversación de Dios con los seres humanos, comparte en el primer capítulo del primer libro que Dios creó a la familia, enfatizando la gran importancia que esta unidad básica de la sociedad tiene para Dios y, por consiguiente, debería tener para nosotros.

A pesar del plan de Dios para la felicidad de la familia, todos sabemos que las cosas no siempre han funcionado tan bien como se suponía. Los esposos y las esposas a menudo no se llevan bien. El matrimonio, que debía durar hasta la muerte, a menudo termina en divorcio, o la relación ni siquiera llega al matrimonio antes de dar a luz a los hijos, separarse y causar mucho dolor. Los padres y los niños a menudo están enojados el uno con el otro: los padres se sienten desafiados, mientras que los niños se sienten controlados o abandonados por los que se suponía que los cuidaban.

Estas experiencias a menudo son confusas,

porque lo que anticipamos que nos brindaría una sensación de felicidad, sentimientos de acogimiento y de seguridad ha sido todo lo contrario para muchas personas en nuestro mundo de hoy, quizás incluso para ti que ahora mismo estás leyendo este libro.

Ante la decepción y la angustia, nos complace compartir la buena nueva de que hay esperanza para la familia de hoy. Si adoptamos las actitudes populares en la sociedad: pensar en nosotros mismos primero, después y siempre, en qué puedo obtener en vez de qué puedo dar, las familias continuarán experimentando angustia, depresión, tristeza, desesperanza y miseria. La esperanza está en echar otro vistazo a los principios que Dios quiso que las personas siguieran para que sus familias pudieran ser lo que él se propuso cuando las creó. Más allá de solo mirarlos, la puesta en práctica de estos principios nos permite experimentar la alegría, el calor y la paz que la familia debe brindar, pues para eso fue diseñada.

Entonces, ¿cómo describirías tus relaciones familiares? ¿Hay paz y una sensación de satisfacción en tu hogar todos los días, o tu vida familiar se parece más a una pelea callejera de la que estás intentando alejarte, o a la que intentas sobrevivir todos los días? ¿Crees que estás progresando en tu búsqueda por desarrollar una familia más fuerte y saludable, o cada día que pasa te sientes más enojado, frustrado, irritado e indefenso?

¿Qué puedo hacer para mejorar mis relaciones

desde el fracaso aparente hasta forjar relaciones en las que los miembros de la familia verdaderamente se comunican?

Me alegro de que formules esta pregunta. La verdad es que no hay familias perfectas, porque no hay personas perfectas. Entonces, cuando hablamos de una familia que se siente conectada, no estamos hablando de una familia a salvo de problemas. Más bien, estamos describiendo a una familia que disfruta de niveles relativamente altos de satisfacción y estabilidad entre sus miembros. Una familia que está conectada de manera saludable (cónyuges, padres e hijos) procura manejar los conflictos de manera oportuna, y está comprometida a ser paciente, amable, comprensiva y perdonadora. Si bien este tipo de compromiso no es fácil, vale la pena, y contribuirá a la felicidad, la salud y la calidad de vida de cada familia que lo pone en práctica.

Para que las familias puedan superar los años con una alta probabilidad de éxito, es importante que sus miembros se comprometan a superarse cada día, uno a la vez. Cada miembro de la familia debe tener el propósito de llevarse bien con los demás de manera significativa todos los días: escucharse unos a otros, practicar la paciencia unos con otros, cuando hacer lo opuesto es mucho más fácil porque es natural.

Estos son los hábitos que, si se practican diariamente, construyen familias más fuertes y sanas al paso de los años y hacen que los miembros de la familia se sientan seguros, protegidos y apoyados, logrando que sea mucho más fácil lidiar con las dificultades que en algún momento experimentarán. Cuando se trata de proteger a una familia de eventos inesperados, este tipo de relación familiar es mejor que cualquier póliza de seguros.

Los especialistas en familia a menudo dicen que la calidad de una familia depende de la calidad de su comunicación. Querer desarrollar una relación familiar sólida sin una comunicación saludable es como intentar hacer jugo de uva sin uvas. Es simplemente imposible. La comunicación saludable es la principal habilidad que se necesita para mantener un fuerte sentido de familia. Cuanto más se estrecha la relación familiar, más cuidadosa y respetuosa debe ser la comunicación.

En su libro *The 7 Habits of Highly Effective Families* [Los siete hábitos de las familias altamente efectivas],[1] Stephen R. Covey, un destacado experto en familia, comparte el concepto de "ser proactivo" como una habilidad que se utiliza para alcanzar una comunicación efectiva. En esencia, la idea es que entre un estímulo y la respuesta, lo que alguien te dice y cómo respondes, hay un espacio. En ese espacio, cada miembro de la familia tiene la libertad y el poder de elegir su respuesta: qué dice y cómo lo dice. Y esa respuesta es la base verdadera de su crecimiento y de su felicidad como familia. Pero para que este concepto funcione de modo que una familia pueda comunicarse de manera efectiva, esa habilidad debe practicarse, a fin de aprenderse. Lo cierto es que en el espacio entre lo que un miembro de la familia te dice y cómo respondes *deben* suceder tres cosas:

1. Debes hacer una *pausa*: en lugar de responder de inmediato a lo que dice tu padre o madre, hija o hijo, esposo o esposa, permítete calmarte.
2. Entonces, debes *pensar* en lo que debes o no debes decir.
3. Debes *elegir* la respuesta correcta, una que traerá paz en lugar de guerra, a la situación actual.

La calidad de tu vida familiar tendrá mucho que ver con la calidad de tu comunicación. Las familias que hablan entre sí amorosamente y con regularidad experimentan un nivel de cercanía que las familias que rara vez se comunican, o con poca amabilidad, nunca pueden alcanzar.

Para construir una gran familia se requiere determinación, pero cualquier cosa que valga la pena hacer vale la pena hacerla bien. Entonces, comprométete a comunicarte bien y observa cómo tu familia florece y crece en los días, semanas, meses y años venideros.

---

1. Stephen R. Covey, *Los siete hábitos de las familias altamente efectivas* (Nueva York: Golden Books, 1997).

2

El matrimonio
a la manera de Dios

Para celebrar nuestro 30° aniversario de bodas y crear recuerdos nuevos que mantengan nuestro matrimonio saludable y fuerte, pasamos cinco días en la playa, disfrutando de la hermosa arena y el mar azul.

Ese tiempo que pasamos en la playa fue sencillamente maravilloso. Nos relajamos, leímos libros, disfrutamos de buena comida, nadamos, buceamos, y practicamos *body board* y kayak. Pero la más inolvidable de todas nuestras actividades fue aprender a navegar un velero.

Cuando comenzó nuestra clase de navegación a vela, rápidamente nos dimos cuenta de que este deporte era mucho más difícil de lo que pensábamos. Si bien fue un poco estresante, también fue relajante, desafiante y gratificante. Pronto resultó evidente que tendríamos que trabajar juntos como equipo y estar del mismo lado del velero si deseábamos avanzar suavemente sobre las hermosas aguas del Caribe. La misma cooperación debe haber en la familia.

Dios creó el matrimonio y la familia para proporcionar a la humanidad el ámbito de comunidad necesaria para sentirse conectada. A pesar de que el proceso tenga momentos desafiantes, las recompensas son estupendas.

La Biblia está cargada de buenos consejos para ayudarnos a renovar nuestras relaciones familiares y ser inmensamente felices. Cuánto más leamos la Palabra de Dios, individualmente y con nuestro cónyuge, más estaremos en sintonía con lo que Dios desea para nosotros y para nuestra familia. La verdad es que, como seres humanos, se nos hace imposible proteger el amor de daños y perjuicios. Sin embargo, cuando aplicamos la Palabra de Dios a nuestras relaciones familiares, podemos encontrar la capacidad de honrar a Dios en esas relaciones. Pero esto solo puede darse si dedicamos tiempo a estar juntos y crecer en el poder de Dios.

A nosotros nos encanta pasar tiempo juntos, los

dos solos. Ya llevamos más de treinta años de casados, y hemos tenido el privilegio de trabajar juntos y compartir toda clase de actividades favoritas y lugares para visitar. Estamos agradecidos porque Dios nos haya unido, y procuramos diariamente aplicar los consejos que encontramos en la Biblia a nuestra relación matrimonial. Uno de los versículos favoritos que nos gusta aplicar a la comunicación entre nosotros se encuentra en la Carta de Santiago: "Todos ustedes deben ser rápidos para escuchar, lentos para hablar y lentos para enojarse" (Santiago 1:19, NTV).

Trabajar juntos es gratificante para nosotros, pero también es un desafío. Decidimos planificar momentos divertidos y encontrar motivos para celebrar a menudo, y así preservar el matrimonio y la familia como un espacio atrayente. Después de trabajar durante varios días para concluir proyectos de trabajo, una de nuestras actividades favoritas es encontrar un buen restaurante indio y compartir una comida. Si bien procuramos cuidarnos para no comer en exceso, disfrutamos de la comida y encontramos una razón para celebrar a Dios y a la vida durante una gran comida de *chana masala, baigan bharta, dal makhani,* arroz y *tandoori roti.* Y, si nos hemos mantenido fieles a nuestra rutina de ejercicio semanal, podemos agregar un vaso de mango *lassi,* para completar la experiencia.

Nuestros hijos son adultos y ya no viven en casa.

Sin embargo, cada vez que tenemos la oportunidad de visitarlos, pasamos tiempo juntos y disfrutamos de nuestra familia. Al compartir un juego, una comida favorita, al visitar un museo o ir a la iglesia juntos, recordamos que nos pertenecemos, y agradecemos a Dios por su bondad. Cuando estamos lejos, nos mantenemos en contacto en forma regular. Naturalmente, esto solo es posible si lo planificamos, pero es una inversión que vale la pena para asegurar la salud y la fortaleza de nuestro matrimonio y de nuestra familia.

El plan de Dios para el matrimonio se cumple más fácilmente cuando las parejas casadas utilizan un concepto llamado la *cuenta bancaria emocional*. La cuenta bancaria emocional es como cualquier otra cuenta bancaria: puedes hacer extracciones de una cuenta solo cuando tienes fondos. Y todos sabemos lo que sucede cuando hacemos más extracciones que depósitos en nuestra cuenta bancaria: terminamos con insuficiencia de fondos.

El mismo principio se aplica a tu relación matrimonial. Si todo lo que haces en tu matrimonio es sacar, sacar y sacar, sin contribuir primero al bienestar de tu cónyuge, no puedes esperar obtener nada de tu relación matrimonial. Cuando eres amable con tu cónyuge, estás haciendo depósitos en su cuenta bancaria emocional. Mientras más depósitos emocionales hagas en la cuenta bancaria emocional de tu cónyuge, más *rica* será su relación.

Por otro lado, procurar obtener más de lo que das lleva la relación a la bancarrota.

Pues bien, ¿cómo te va con los depósitos en la cuenta bancaria emocional de tu cónyuge? ¿Eres amable, paciente, solidario, alentador y perdonador en general? ¿O eres cínico, impaciente, crítico, exigente, difícil y ofensivo?

Independientemente de lo difícil que haya sido tu relación matrimonial, puedes cambiar la situación si decides comenzar a hacer las cosas de otra manera. En vez de considerar tu matrimonio desde la óptica de lo que puedes conseguir, comienza a considerar tu matrimonio desde la óptica de lo que puedes dar. Luego, observa cómo va creciendo la cuenta bancaria emocional de tu cónyuge, hasta que tu relación rebose con la "moneda" de la buena disposición del otro.

Los siguientes seis comportamientos pueden ayudar a cualquier pareja a recuperar la cuenta bancaria emocional de su matrimonio. Las parejas que estén dispuestas a probar al menos una de estas sugerencias, probablemente verán una mejoría inmediata en su relación:

¡Deja de etiquetar tu matrimonio como disfuncional!

El cerebro humano está diseñado para creer lo que le decimos. Si sigues diciendo que tu matrimonio es disfuncional, comenzarás a creerlo. Solemos pedir a la gente que se haga esta pregunta: "¿Tengo un buen matrimonio que pasa por algunos momentos disfuncionales, o tengo un matrimonio pésimo con algunos buenos momentos?". Es una variación del famoso dicho: "¿El vaso está medio lleno o medio vacío?" Las parejas que estén dispuestas a encontrar lo bueno en su matrimonio y en su cónyuge podrán resolver más fácilmente el conflicto y tener un matrimonio más satisfactorio. Así que, empieza a decirte que tienes un gran matrimonio, y tú y tu cónyuge comenzarán a creerlo.

La verdad es que cualquier matrimonio puede cambiar si la pareja cree en él y está dispuesta a comprometerse para fortalecer su matrimonio. La Palabra de Dios afirma con verdad: "Para el que cree, todo es posible" (S. Marcos 9:23).

Ora de todo corazón por tu matrimonio y por tu cónyuge

Dios, el Creador, instituyó el matrimonio. Por lo tanto, es sabio y a la vez fundamental hacer de él el centro de tu matrimonio. No nos referimos simplemente a honrarlo de palabras; nos referimos a establecer y mantener una relación significativa con Dios y reconocer constantemente su presencia, individualmente y también como pareja. Pide a Dios que sane tu matrimonio, y luego espera un milagro. Dios "puede hacer muchísimo más que todo lo que podamos imaginarnos o pedir, por el poder que obra eficazmente en nosotros" (Efesios 3:20).

También les decimos a las parejas que si creyeran que Dios está presente mientras hablan entre sí, ¿habrían expresado algunas de las cosas que se dijeron mutuamente? ¿O se sentirían más inclinados a impresionar a Dios con palabras amables, pacientes, amorosas y compasivas? Especialmente cuando todos los días pides a Dios que perdone tus pecados y que te favorezca con su gracia y su misericordia, ¿cómo puedes pedir menos por tu cónyuge? Dios promete que si lo buscamos humildemente cuando oramos, él nos escuchará, nos perdonará y sanará nuestras heridas (2 Crónicas 7:14).

Aprender y practicar habilidades de comunicación efectiva

Puede parecer muy obvio e instintivo, pero la verdad es que esto no es innato ni fácil. Si bien todos hemos aprendido a comunicarnos desde el nacimiento, la mayoría de nosotros hemos desarrollado métodos de comunicación defectuosos o incorrectos. Aprendemos cómo comunicarnos en nuestras familias de origen y traemos esos patrones, buenos o malos, a nuestro matrimonio. Además, lo que funcionó bien en nuestros hogares o con nuestros amigos puede no funcionar en nuestro matrimonio, con nuestro cónyuge. Ambos necesitan estar dispuestos a hacer ajustes en sus estilos relacionales y de comunicación, de manera que puedan mejorar la calidad de la relación. La mayoría de los desacuerdos matrimoniales se dan porque cada cónyuge habla al otro, y ninguna de las partes se ha detenido a escuchar las necesidades, los deseos y las aflicciones de su pareja.

Muchos de los problemas en el matrimonio en realidad no son problemas. Si nos tomamos el tiempo de escucharnos mutuamente y procurar entender al otro, se pueden resolver muchas cuestiones. Volvamos al buen juicio que se encuentra en Santiago 1:19, acerca de ser rápidos para escuchar y lentos para hablar y enojarse.

Averigua qué le gusta a tu cónyuge y hazlo, y sigue haciéndolo; descubre qué le desagrada a tu cónyuge, ¡y deja de hacerlo!

Antes del matrimonio, las parejas se preocupan por ser la mejor versión de sí mismos: el mejor novio o la mejor novia. Hacen todo lo posible por descubrir lo que le gusta al otro, para colmarlo de los deseos de su corazón.

Sin embargo, después de la boda y la luna de miel, creen que ya no necesitan hacer cosas especiales el uno por el otro. Por supuesto, este cambio hace que tu cónyuge sienta que lo das por sentado. Es a esa altura cuando a menudo escuchas a la gente decir que se casó con la persona equivocada. En realidad, no es tan así. Al contrario, ambos simplemente dejaron de ser la persona adecuada. Para colmo, empiezan a irritarse mutuamente, al hacer exactamente lo que saben que a su cónyuge le molesta.

Si las parejas emplearan la regla de oro de San Mateo 7:12, "Así que en todo traten ustedes a los demás tal y como quieren que ellos los traten a ustedes", literalmente verían florecer y crecer exponencialmente sus matrimonios.

Perdona con frecuencia

En el matrimonio, la relación más íntima, las parejas se hieren de tanto en tanto;[1] por lo tanto, las parejas deberán aprender a perdonarse mutuamente. A veces, un cónyuge lastima al otro sin quererlo. También hay momentos en que se lastiman entre sí al decir cosas ofensivas y desagradables para tomar represalias, por el dolor que quizás estén sufriendo. Ciertas heridas se pueden ignorar fácilmente, algunas son un poco más difíciles de perdonar, y otras dejan cicatrices profundas y duraderas.

Perdonar a alguien que te ha lastimado es la parte más difícil de amar, pero no puedes continuar amando verdaderamente sin hacerlo. Perdonar no es convertirse en un trapo para ser pisoteado, absolver a los demás de la responsabilidad o simplemente olvidar. Más bien, al perdonar ayudas a iniciar el proceso de curación de tus heridas, y esto hace que dejes de sentir la necesidad de castigar a la otra persona. También te empuja hacia la restauración de esa relación resquebrajada. Y, con el poder de Dios, podrás entregar el regalo del perdón a tu cónyuge. El apóstol Pablo nos dice: "Pero Dios demuestra su amor por nosotros en esto: en que cuando todavía éramos pecadores, Cristo murió por nosotros" (Romanos 5:8).

Ríanse mucho

El viejo adagio, "La risa es buen remedio" sigue vigente hoy. De hecho, investigaciones médicas han descubierto que la risa produce también beneficios fisiológicos y neurológicos. La risa ayuda a reducir el estrés, estimula el sistema inmunitario, reduce la presión arterial, une a las parejas y mantiene viva la relación. Decimos a las parejas que busquen cosas de las que reírse y que dejen de pelear por nimiedades. Una vez más, muchas diferencias que tienen las parejas en el matrimonio son, simplemente, gustos personales. Sin embargo, también pueden aprender a reírse de malentendidos involuntarios. El Sabio afirma: "Gran remedio es el corazón alegre, pero el ánimo decaído seca los huesos" (Proverbios 17:22).

Conclusión

El matrimonio es al mismo tiempo espectacular, maravilloso y desafiante. Espectacular y maravilloso porque fue diseñado por el Creador para que reflejáramos su imagen. Desafiante, porque reúne a dos seres humanos defectuosos, imperfectos y egoístas, que se vuelven aun más imperfectos y egoístas una vez que se casan. Los casados deben enfrentar esta realidad, y trabajar juntos como compañeros de equipo y amigos. Juntos, debemos luchar contra el enemigo que amenaza con destruir nuestra unidad entre nosotros y nuestra unidad con Dios.

———————

1. No estamos hablando del dolor del abuso. Si estás experimentando algún tipo de abuso físico o emocional en tu relación, busca ayuda con un terapeuta profesional o un pastor calificado. Sin ayuda, lo más probable es que el abuso empeore. Para obtener más información, visita "Rompiendo el silencio", en http://www.adventistas.org/es/mujer/proyecto/rompiendo-el-silencio/.

3

Cómo criar hijos exitosos

Criar hijos en la actualidad es más desafiante que nunca. Formar el carácter de un niño es aún más imperioso, ya que los niños se enfrentan a diario con valores que parecen oponerse a los valores de sus padres. Hoy, los niños son bombardeados con mensajes mixtos a través de los medios, el Internet, otros adultos y sus compañeros. Estos mensajes confusos han llevado a los niños por un camino que los insensibiliza a muchos males sociales como la violencia, la inmoralidad, el abuso y la discriminación.

Las estadísticas sobre homicidios de adolescentes,

el acoso escolar, los tiroteos en colegios, los suicidios, la drogadicción y el alcoholismo reflejan cambios significativos en la naturaleza de la niñez. Por lo tanto, es mucho más difícil que los niños aprendan lecciones básicas de autogestión, autoestima y empatía hacia los demás. Los niños de hoy son más propensos a la depresión, a la ansiedad y al comportamiento impulsivo. Al mismo tiempo, hay más presiones económicas sobre los padres, quienes trabajan más y tienen horarios más extendidos. Esto les quita tiempo para pasar con sus hijos.

A pesar de estos desafíos, los padres continúan siendo la mejor protección contra conductas de riesgo de los niños, como el consumo de drogas y el alcoholismo, el sexo prematrimonial y los trastornos alimentarios. Los padres que asumen diariamente un papel activo en la crianza de sus hijos finalmente obtendrán la recompensa de ver que sus hijos llegarán a ser adultos sanos y responsables. Si bien la crianza de los hijos no es una ciencia exacta y no hay garantías, los padres que aprovechan al máximo su tiempo con sus hijos tendrán más probabilidades de influir sobre ellos y prepararlos para la edad adulta.

Hay momentos en que la crianza parece una tarea insignificante, especialmente cuando cambiamos pañales, limpiamos derrames, o discutimos por los horarios límite y las habitaciones sucias o desordenadas. No obstante, la crianza de los hijos es una de las tareas más importantes y desafiantes de la humanidad. Considera la importancia de criar a un niño que no solo será obediente, sino también llegará a tener un carácter maduro y una autoestima saludable, manejará sus emociones y tendrá relaciones saludables con los demás. La crianza es de suma importancia.

Por supuesto, no existe un padre perfecto. Sin embargo, por la gracia de Dios, nuestros hijos pueden llegar a ser buenos adultos, a pesar de haber tenido padres que no sean perfectos. En este sentido, los padres no debieran esperar que sus hijos sean perfectos tampoco. En este capítulo compartimos algunas formas en que los padres pueden sentar una base sólida para llevar a cabo la tarea de criar a sus hijos con éxito.

Anteriormente dijimos que si bien no hay garantías en la educación de los hijos, los padres pueden hacer mucho para aumentar la probabilidad de tener éxito en esta importante obra. Y porque el objetivo principal de la crianza es educar hijos que tengan un carácter maduro y sean adultos responsables en la sociedad, es importante que los padres comprendan cuáles son sus valores y cómo volcarlos en el carácter de sus hijos.

Comencemos por comprender qué son los *valores*. Los valores son creencias importantes compartidas por los miembros de una cultura o familia acerca de lo que es bueno y lo que no.

Los valores ejercen una gran influencia sobre el comportamiento de una persona y sirven como reglas o pautas en todas las situaciones. Algunos valores morales fundamentales son la honestidad, la integridad, el respeto y la responsabilidad por los demás.

El carácter se define en la manera en que esos valores se activan. El carácter no es lo que *decimos*; es lo que *somos*. Es la forma en que vivimos nuestros valores. Por ende, si enseñas a un niño que la honestidad es un valor importante en tu hogar, pero le pides que le diga a la persona que acaba de llamar por teléfono que no estás en casa, cuando sí estás en tu casa, entonces tu hijo interiorizará que la honestidad no es un valor importante. El carácter es observable en el comportamiento de una persona. Recuerda: los *valores* son nuestras creencias, son más filosóficos, mientras que el *carácter* es más activo.

El carácter se compone de los valores fundamentales que mencionamos anteriormente: honestidad, respeto, amabilidad, empatía y responsabilidad. Cuando estas cualidades forman parte del carácter de una persona, podemos contar con que las observaremos en forma regular y reiterada en su comportamiento. Cuando estos valores llegan a formar parte del carácter de un niño, no se espera que cambien a medida que interactúe con personas diferentes o en situaciones diferentes.

Por supuesto, como nadie es perfecto, habrá ocasiones en que tu hijo no mostrará estos rasgos de carácter. Sin embargo, cuanto más se refuercen los valores que eliges, más llegarán a formar parte de la vida de tu hijo. Por lo tanto, los padres también deben esforzarse por vivir de acuerdo con estos valores. En este sentido, alguien dijo cierta vez que tu hijo probablemente no haga lo que tú dices; es más probable que haga lo que ve que haces.

El concepto de *inteligencia emocional* se ha convertido en uno de los más populares del nuevo milenio. De hecho, los psicólogos han descubierto que la inteligencia emocional (o cociente emocional, CE) es un mejor predictor del éxito de una persona en la vida que el cociente intelectual. Han descubierto que el CE conduce a la felicidad en todos los aspectos de la vida: trabajo, carrera y relaciones. Entonces, ¿qué es la inteligencia emocional o el CE? El CE es, entre otras cosas, la capacidad de controlar las emociones. Es ser consciente de tus emociones y tener la capacidad de manejar estas emociones incluso en las situaciones más estresantes.

El doctor John Gottman, un destacado psicólogo que ha realizado una extensa investigación sobre el matrimonio y la educación de los hijos, sugiere que los padres deben involucrarse con los sentimientos de sus hijos. Los padres deben convertirse en entrenadores emocionales. Deben usar las emociones negativas y las positivas como oportunidades para enseñarles a los hijos lecciones importantes sobre la vida, y construir una relación más estrecha con ellos. El doctor Gottman tiene en claro que el entrenamiento emocional no significa que los padres deban eliminar la disciplina, sino que este ayuda a los padres a tener interacciones más exitosas entre padres e hijos.[1]

Los padres pueden convertirse en entrenadores emocionales para sus hijos siguiendo estos pasos:

1. *Toma conciencia de las emociones de tu hijo.* Todas las emociones son una oportunidad de relacionarte más estrechamente con tu hijo e instruirlo.

2. *Escucha sinceramente a tu hijo.* Los padres deben aprender a escuchar a sus hijos y validar sus sentimientos. Tu actitud hacia tus hijos es esencial para ayudarlos a convertirse en adultos emocionalmente inteligentes y responsables. Asegúrate de que tu lenguaje no sea crítico, condenatorio ni reprobatorio.

3. *Ayuda a tus hijos a encontrar maneras de identificar las emociones que están sintiendo.* A veces tu hijo puede gritar, golpear o hacer berrinches, lo que normalmente se interpreta como enojo. Sin embargo, la mayoría de las veces estos ataques de ira son solo expresiones de lo que tu hijo realmente está sintiendo. En

lugar de enojarte con tu hijo y gritarle, pregúntale qué siente y ayúdalo a expresar esos sentimientos a través de palabras como *triste*, *frustrado*, *avergonzado*, *miedoso* o *molesto*.

4. *Establece límites, mientras exploras soluciones al problema en cuestión.* Los niños necesitan que los padres establezcan límites claros que sean apropiados para su edad. Los niños dependen de esta orientación tanto en la infancia como en la adolescencia. Los niños comienzan a pedir independencia desde muy temprano; sin embargo, el padre que otorga una independencia sin límites no le está haciendo ningún bien al chico; al contrario, esto crea estragos e inseguridad en ellos. Por otro lado, un padre que es demasiado controlador y no permite que su hijo ejerza cierta independencia, obstaculiza su desarrollo. Los niños necesitan que se los respete, que se les reconozcan sus puntos de vista y que se les dé la oportunidad de tomar decisiones.

Saber qué son los valores, el carácter y la inteligencia emocional es una cosa, pero ¿de qué manera los padres pueden ayudar a sus hijos a pasar del pensamiento a la acción? ¿Cómo ayudamos a nuestros hijos a convertir sustantivos como *la generosidad, la amabilidad, la consideración, la sensibilidad, el perdón y la compasión* en verbos de acción? Los niños no adquieren inteligencia emocional o un buen carácter mediante la memorización de reglas y regulaciones; se olvidarán de la lista de buenas cualidades y virtudes tan pronto como la memoricen. Pero cuando los niños practiquen lo que han aprendido, los conceptos llegarán a formar parte de ellos. A medida que los valores se internalizan, ser *bueno* se convierte en parte de la identidad de tu hijo.

Para criar hijos exitosos, los progenitores deben comprender varios conceptos y aplicarlos a su relación con su hijo o hijos. Como padres, deben comprender, en primer lugar, que el respeto es el meollo de la moralidad: respeto por sí mismos, por los demás y por el Creador del universo. Como padre, debes respetar a tus hijos y esperar que te respeten. Si quieres criar niños responsables que tengan tus valores, debes tratarlos como seres humanos.

Padres, recuerden que *las acciones hablan más que las palabras*. Los niños observan todo lo que hacen sus padres. Lo archivan, y luego imitan cómo viven los adultos importantes en sus vidas, lo que hacen y cómo tratan a quienes los rodean. El ejemplo es un maestro muy efectivo. Pero recuerda: ser modelo no significa ser perfecto; significa dejar que tus hijos vean tu compromiso con los ideales morales o con los ideales cristianos. Se trata de ejemplificar la manera en que reaccionan las personas morales cuando se equivocan. Es pedir perdón. Es hablar a tus hijos acerca de tus luchas por *vivir* de acuerdo con tus *creencias*. Si eres cristiano y crees en Cristo, es esencial que muestres a tus hijos cómo vivir como Cristo lo hizo.

Los padres deben permitir que sus valores se vean y se escuchen. Como afirma un viejo dicho: "No solo practiquemos lo que predicamos, sino que también prediquemos lo que practicamos". Los niños necesitan tanto nuestras palabras como nuestras acciones. Para un impacto óptimo, no solo se les deben enseñar los valores, también necesitan conocer las razones y las creencias que los respaldan.

Los padres deben guiar, instruir, escuchar y aconsejar. Haz del amor la base sobre la que construyes cada aspecto de tu relación con tu hijo o hijos. El Nuevo Testamento manifiesta: "Dios es amor" (1 Juan 4:16). Es ese amor de Dios el que reflejamos a nuestros hijos. Los niños necesitan ser arraigados y cimentados en el amor: la clase de amor que Dios nos otorga como amor incondicional; esa clase de amor que no requiere nada a cambio, y que ayuda a nuestros hijos a desarrollar una autoestima positiva, un sentido de valía personal, una fortaleza interior. El amor del que estamos hablando es activo, no pasivo.

En la crianza de los hijos, el *amor* se expresa en atención concentrada, tiempo, apoyo, conexión, límites y compromiso. Este amor genuino y activo te vincula con tus hijos. Esta clase de amor enseña a los niños a amarse a sí mismos y a los demás. Los niños (o adultos) que no se sienten amados tienen muchas dificultades para amarse a sí mismos, y a su vez, tienen dificultades para amar a los demás. Los niños necesitan saber que son escuchados y que son lo suficientemente importantes como para que se les dedique toda atención a lo que tienen que decir. Esto hace que se sientan amados.

No hay atajos en la educación de los hijos, ni siquiera para los padres ocupados. La *calidad* del tiempo no compensa la *cantidad* mínima necesaria. Las familias saludables estructuran sus horarios, aunque ocupados y agitados, para pasar tiempo juntos comiendo, trabajando y jugando. La conclusión es esta: la educación requiere tiempo.

Los padres deben fomentar una actitud de "¡sí se puede!", al alentar a sus hijos a probar cosas nuevas. Debes aprender a celebrar los éxitos y a replantear los "fracasos" como simples *intentos que nos enseñan lo que no funciona*. Un niño que recibe mucha más alabanza y aprecio que críticas y reproches crecerá con una autoimagen positiva. Los padres que brindan apoyo ayudan a sus hijos a percibirse a sí mismos como personas capaces y competentes, que pueden defender lo que es correcto y que no necesitan la aprobación del grupo a cualquier precio. Los niños que se sienten apoyados por sus padres son menos susceptibles a la presión negativa de sus compañeros.

Desde luego, el amor y los límites van de la mano. Estos dos factores son los predictores más significativos del tipo de crianza que produce hijos con mayor probabilidad de adquirir los valores de sus padres, y con mayor probabilidad de tener la capacidad de establecer relaciones amables y positivas con los demás. En última instancia y sobre todo, los niños necesitan saber que no hay nada que puedan decir o hacer que los aleje del círculo de amor de sus padres.

Cuando los padres sientan las bases para un desarrollo positivo y saludable en la vida de sus hijos, entonces los niños tendrán la mejor oportunidad de convertirse en las personas que Dios quiere que sean. Su hijo o hijos podrán tomar decisiones acertadas cuando se enfrenten con decisiones difíciles; no se dejarán influir fácilmente por las opiniones de los demás. No solo encontrarán que un carácter fuerte, junto con la inteligencia emocional, los beneficia personalmente, también serán un beneficio para la familia, la iglesia y la sociedad en general, ya que se les han brindado los elementos esenciales para vivir una vida sana.

---

1. John M. Gottman y Joan DeClaire, *Raising an Emotionally Intelligent Child: The Heart of Parenting* [Cómo criar hijos inteligentes emocionalmente: el aspecto central de la paternidad] (Nueva York: Fireside, 1998), p. 2.

4

¿Roca o arena?

En un viaje reciente a Côte d'Ivoire (Costa de Marfil) para reuniones de liderazgo con nuestro equipo de África occidental y central, nuestro vuelo de París a Abidján se retrasó un par de horas. Como el arribo ya estaba programado para una hora antes de la medianoche, la demora significaría que el conductor que nos recogería en el aeropuerto tendría una noche muy larga.

Como si esto fuera poco, en lugar de recuperar tiempo (esto pasa a menudo con muchos vuelos retrasados), nuestra escala en Ouagadougou, la capital de Burkina Faso, se convirtió en un desastre. No podían localizar a un pasajero que había abordado el avión en París, que se dirigía también a Abidján. Esto causó ansiedad entre la tripulación y pospuso aun más nuestra llegada a Abidján. Esta nueva situación nos tenía bastante preocupados, y nos preguntábamos si nuestro conductor, a quien no conocíamos, todavía estaría en el aeropuerto cuando llegáramos a altas horas de la madrugada.

Afortunadamente, nuestra historia tiene un final feliz. Estamos convencidos de que fue así porque alguien le enseñó grandes valores a Charles, nuestro conductor. Ese día fuimos testigos de su gran integridad, honor y una ética de trabajo ejemplar.

Charles estaba en el aeropuerto para encontrarse con nosotros como si hubiera sido media tarde. Hombre con una disposición muy amable y agradable, nos condujo a salvo a nuestro alojamiento a las tres de la mañana. No nos cabe ninguna duda de que el carácter de Charles se construyó sobre los cimientos que le brindaron sus padres o tutores, y su propio compromiso de ser obediente a los valores que aprendió de niño.

En San Mateo 7:24 al 27 Jesús pronunció lo siguiente en su Sermón del Monte:

> Por tanto, todo el que me oye estas palabras y las pone en práctica es como un hombre prudente que construyó su casa sobre la roca. Cayeron las lluvias, crecieron los ríos, y soplaron los vientos y azotaron aquella casa; con todo, la casa no se derrumbó porque estaba

cimentada sobre la roca. Pero todo el que me oye estas palabras y no las pone en práctica es como un hombre insensato que construyó su casa sobre la arena. Cayeron las lluvias, crecieron los ríos, soplaron los vientos y azotaron aquella casa. Esta se derrumbó, y grande fue su ruina.

Estas palabras concluyen el discurso de Jesús sobre la ética del Reino de Dios y sus expectativas para aquellos que serían sus seguidores, y todos los que elegirían vivir una vida recta basada en valores eternos.

Todavía existe el mismo peligro. Muchos dan por sentado que son buenas personas, incluso buenos cristianos, porque respaldan ciertas creencias espirituales. Pero no han integrado a su vida diaria los valores hallados en las enseñanzas de Jesús. Y debido a que no han creído realmente en estos principios fundamentales para vivir una vida basada en la buena moral, no han recibido el poder y la gracia que les otorga el compromiso de hacer lo que Dios les pide para llevar una vida de mayor felicidad.

Lo curioso es que la vida familiar y la vida cristiana no son muy diferentes cuando se las observa desde una posición estratégica similar. *Saber* lo que Dios espera y *hacer* lo que Dios requiere son dos realidades totalmente diferentes.

En la esencia del Sermón del Monte, el carácter sagrado del matrimonio es muy importante. San Mateo 5:27 y 28 declara: "Ustedes han oído que se dijo: 'No cometas adulterio'. Pero yo les digo que cualquiera que mira a una mujer y la codicia ya ha cometido adulterio con ella en el corazón". El escritor bíblico explica, además, la intención de este pasaje en el versículo 32, al afirmar: "Pero yo les digo que, excepto en caso de inmoralidad sexual, todo el que se divorcia de su esposa la induce a cometer adulterio, y el que se casa con la divorciada comete adulterio también".

Al referirse a la clave de todo matrimonio saludable, Pablo declara, bajo inspiración divina, en 1 Corintios 13:1 al 8:

Si hablo en lenguas humanas y angelicales, pero no tengo amor, no soy más que un metal que resuena o un platillo que hace ruido. Si tengo el don de profecía y entiendo todos los misterios y poseo todo conocimiento, y si tengo una fe que logra trasladar montañas, pero me falta el amor, no soy nada. Si reparto entre los pobres todo lo que poseo, y si entrego mi cuerpo para que lo consuman las llamas, pero no tengo amor, nada gano con eso.

El amor es paciente, es bondadoso. El amor no es envidioso ni jactancioso ni orgulloso. No se comporta con rudeza, no es egoísta, no se enoja fácilmente, no guarda rencor. El amor no se deleita en la maldad, sino que se regocija con la verdad. Todo lo disculpa, todo lo cree, todo lo espera, todo lo soporta. El amor jamás se extingue.

Muchos hoy han olvidado que Dios estableció el matrimonio al comienzo de la historia de la humanidad como una institución divina de suma importancia, cuando declaró en Génesis 2:18: "No es bueno que el hombre esté solo. Voy a hacerle una ayuda adecuada". Unos versículos después, Dios declaró: "Por eso el hombre deja a su padre y a su madre, y se une a su mujer, y los dos se funden en un solo ser" (vers. 24).

Y para que nadie sugiera que esta es una noción del Antiguo Testamento que ya no se aplica a nosotros hoy, el Nuevo Testamento repite este texto tres veces más, en San Mateo 19:5, San Marcos 10:7 y 8 y Efesios 5:31, para aclarar la intención de Dios sobre el matrimonio como la relación más cercana e íntima que los seres humanos debieran tener.

Estos pasajes bíblicos están llenos de requisitos irrefutables, incluida la realidad de que el esposo y la esposa están en singular, no en plural. El mandato bíblico afirma que el objetivo del matrimonio era que se celebrara entre un hombre y una mujer, cuando dice en 1 Corintios 7:2: "Pero, en vista de tanta inmoralidad, cada hombre debe tener su propia esposa, y cada mujer su propio esposo". Todo lo que se aparte en mayor o menor medida de esto es de origen humano, y no respalda el modelo establecido por Dios en el Edén. Es difícil pasar por alto el detalle de que la intención de Dios era que el matrimonio fuera para siempre.

Indudablemente, Dios creó el matrimonio y la familia para que fuese una bendición y una alegría para los seres humanos. La unidad mencionada en Génesis 2:24 estaba destinada a contrarrestar la soledad percibida por el hombre en Génesis 2:18 y 20. Esta unidad debía ser algo *bueno*. Sin embargo, la maldad intenta destruir todo lo que Dios creó para nuestro bien. Esta maldad, alimentada por Satanás, parece estar teniendo éxito con la ayuda de muchos esposos y esposas que han olvidado por completo el objetivo de Dios para el matrimonio.

Al considerar los sólidos principios de moralidad y decencia que se evidencian en la sabiduría de la literatura bíblica, debes preguntarte si estás construyendo tu matrimonio y tu familia sobre la roca o sobre la arena. Si hablas mucho y haces poco, ¿no será que te estás engañando, y te estás perdiendo la alegría, la paz y las bendiciones que Dios desea que experimentes en tu matrimonio y en tu vida familiar?

Si bien tendemos a olvidar que el plan de Dios es perfecto y que fue creado teniendo en cuenta nuestro bienestar, es importante que decidamos acudir a él para aprender de él y recibir su poder para vivir sus planes para nuestra vida. Porque cada crisis en el matrimonio y la familia es una crisis espiritual que solo puede resolverse mediante el poder de Dios. Cuando pones en práctica las enseñanzas que él dejó para que las sigas, estás construyendo tu matrimonio y tus relaciones familiares sobre una base sólida, en lugar de hacerlo sobre la arena. También sabemos que cada crisis en el matrimonio y la familia es una oportunidad de crecimiento; y hoy es tu oportunidad de crecer.

Para tener un matrimonio espléndido y una familia sensacional, es importante tener una excelente comunicación en las relaciones. Con frecuencia, desaprovechamos la oportunidad de tener grandes relaciones debido a los hábitos que hemos desarrollado en nuestras familias de origen. Nos exculpamos moralmente diciendo: "Yo soy así, ámame o déjame. Soy una buena persona. Trabajé como voluntario para alimentar a gente sin techo y contribuí con muchas obras de caridad".

Volvamos a las enseñanzas que se encuentran en el Sermón del Monte, que dicen: "Por tanto, todo el que me oye estas palabras y las pone en práctica es como un hombre prudente que construyó su casa sobre la roca" (S. Mateo 7:24). Por lo tanto, si tu matrimonio y tus relaciones familiares no andan muy bien, ¿qué puedes cambiar de tu comportamiento actual, para que puedas ser una bendición para tu cónyuge y tu familia? Si crees que es muy difícil cambiar, recuerda que con Dios todo es posible y que él te ayudará si deseas mejorar en tus relaciones.

Construir tu matrimonio y tus relaciones familiares sobre la roca significa poner en práctica las enseñanzas éticas de Jesucristo, en lugar de construir tus relaciones familiares sobre la arena de tus propias opiniones o las opiniones que ofrece la moral laxa de nuestra época.

5

Cómo convertirse
en aliados íntimos

Hace varios años descubrimos una cita de un autor anónimo que dice: "Casarse es fácil. Seguir casado es más difícil. Seguir felizmente casado para toda la vida podría contarse entre las bellas artes".

No es necesario ser un genio para aceptar la realidad de esta afirmación. Simplemente con observar detenidamente a la gente que te rodea, con la que te relacionas a diario, rápidamente te darás cuenta de cuán cierta es esta afirmación.

Incluso si te casaste hace pocos meses, ya habrás experimentado lo difícil que es seguir casado, ¡y mucho más seguir felizmente casado! Entonces, ¿cómo puedes mantener y hacer crecer una relación íntima con tu cónyuge, y cómo pueden convertirse en aliados?

Cuando hacemos referencia a la intimidad, probablemente no es lo que la mayoría de ustedes esté pensando en este momento. La intimidad de la que estamos hablando es, simplemente, una cercanía profunda que toda pareja necesita desarrollar: emocional, financiera, espiritual e intelectual. Si bien la intimidad física es muy importante en el matrimonio, si una pareja casada no experimenta la intimidad de la que estamos hablando en esta sección, es posible que nunca experimenten realmente la intimidad necesaria para perdurar en el matrimonio.

Una definición de la *intimidad* en el matrimonio que encontramos en un diccionario hace mucho tiempo dice: "Un vínculo afectuoso, cuyos hilos se componen de cuidado mutuo, responsabilidad, confianza y comunicación abierta de sentimientos y sensaciones, al igual que un intercambio no defensivo de información sobre sucesos significativos".[1]

Según el diccionario, un *aliado* es: "Dicho de una persona: Que se ha unido y coligado con otra para alcanzar un mismo fin".[2] Otro significado que encontramos es "unirse formalmente, como en un tratado, una liga, el matrimonio o similar".

Por lo tanto, este capítulo aborda el tema de

cómo fomentar una relación con tu cónyuge que los acerque y los una más. Los esposos que son aliados están muy unidos emocional, financiera, espiritual e intelectualmente; y tienden a apoyarse mutuamente cuando enfrentan el desafío de una fuerza o persona externa.

Elena G. de White, una prolífica escritora cristiana del siglo XIX, declaró: "Por mucho cuidado y prudencia con que se haya contraído el matrimonio, pocas son las parejas que han llegado a la perfecta unidad al realizarse la ceremonia del casamiento. La unión verdadera de ambos cónyuges es obra de los años subsiguientes".[3]

La verdad sobre el matrimonio es que, independientemente de cuánto tiempo se hayan conocido dos personas antes de casarse o de cuán compatibles parezcan, dado que todos somos pecadores y egoístas por naturaleza, nuestra relación matrimonial conducirá naturalmente a un estado de alienación y separación.

No obstante, lo bueno es que los esposos y las esposas pueden convertirse en *aliados íntimos*. Nuestros matrimonios pueden crecer. Tenemos que decidir. Podemos aprender a vivir con lo que está mal, algo que finalmente conduce al desprecio, el resentimiento y el aislamiento, o podemos bregar por tener un matrimonio excelente.

La mejor decisión que podemos tomar para convertirnos en aliados íntimos es proponernos conectarnos el uno con el otro todos los días, mediante el poder de Dios. Y porque el matrimonio fue una idea de Dios y él quiso que fuera una bendición para nosotros, nuestra familia, nuestros vecindarios y el mundo, debemos confiar en que él nos dará el deseo y la fortaleza para desarrollar la bondad y la paciencia. Eso traerá como resultado un gran matrimonio.

A fin de cuentas, el Nuevo Testamento nos dice, en San Mateo 19:26: "Humanamente hablando es imposible, pero para Dios todo es posible" (NTV). Así que debemos aprender a confiar en Dios, para que él pueda ayudarnos a tener la clase de matrimonio que él desea que tengamos.

Con la mirada puesta en una definición bíblica de intimidad (la cercanía de la que estamos hablando), el Antiguo Testamento comparte en Génesis 2:25: "Ahora bien, el hombre y su esposa estaban desnudos, pero no sentían vergüenza" (NTV). Esto es mucho más que desnudez física: es una desnudez emocional, espiritual, intelectual y financiera.

Por lo tanto, ser aliados íntimos significa estar tan conectado con tu cónyuge a nivel emocional, financiero, espiritual e intelectual, que estás "desnudo y sin avergonzarte". Este concepto de desnudez significa que no hay nada entre tú y tu cónyuge. Por lo tanto, estar emocional, financiera, espiritual e intelectualmente "desnudo" significa que no tienes nada que ocultar a tu cónyuge, porque son transparentes entre sí; lo que solo puede ocurrir cuando han desarrollado una relación de confianza. Básicamente, esto significa que han decidido confiar el uno en el otro; lo que sucede solo cuando cada uno demuestra ser digno de confianza para el otro.

Esto nos lleva de vuelta a la intención de Dios para el matrimonio, que encontramos en el pasaje del Nuevo Testamento de San Mateo 19:6: "Como ya no son dos sino uno, que nadie separe lo que Dios ha unido" (NTV).

La unidad de la que la Biblia está hablando en el pasaje de Génesis es verdaderamente un misterio, en que dos personas (un esposo y una esposa), según el Nuevo Testamento (1 Corintios 7:2),[4] se unen para formar una nueva identidad. Sin embargo, no significa que una persona quede absorbida bajo la personalidad del otro, sino que hay dos personas distintas, con su individualidad, con sus gustos, que han elegido convertirse en un "nosotros". Entonces, cuando uno de ellos sufre el otro sufre, y cuando uno de ellos es feliz el otro también es feliz, porque han decidido ser aliados íntimos.

Hay esperanza para las familias de hoy solo cuando hay una comprensión clara de lo que está causando la separación y la alienación en el matrimonio, para que los esposos puedan mantenerse lejos de esa clase de comportamiento. Lo que sabemos, basado en las investigaciones sobre el matrimonio, es que existen barreras para la unidad que hay que quitar en una pareja para que puedan ser aliados íntimos.

Entre las barreras para la intimidad de las que hablamos están los comportamientos tales como: (1) la protección propia y el miedo al rechazo; (2) el pecado y el egoísmo; y (3) la falta de conocimiento.

Debido a lo que muchos experimentamos desde pequeños, tendemos a protegernos a nosotros mismos y tememos el rechazo cada vez que alguien emite una opinión diferente de la nuestra. Es una señal de inseguridad. Este comportamiento, por desgracia, es muy común en el matrimonio. Por supuesto, ya hemos mencionado el hecho de que todos somos pecadores; esta realidad está en la raíz del egoísmo. Queremos que las cosas sean exactamente como decimos que deberían ser porque así lo dijimos. Esto hace que sea difícil estar en una relación íntima con otro ser humano que te sugiera que hagas algo diferente.

En última instancia, simplemente carecemos del conocimiento necesario para mantener una relación íntima. No sabemos cómo comunicarnos efectivamente. No sabemos cómo manejar el conflicto. No sabemos cómo crear cercanía en nuestras relaciones. Por lo tanto, ser aliados íntimos es imposible cuando estas barreras existen en nuestras relaciones matrimoniales.

Ser aliados íntimos significa adoptar los siguientes componentes en su relación matrimonial. Primero, la *unidad*, que es la experiencia de llegar a ser una carne, de lo que habla la Biblia. Es un acuerdo de unidad emocional, financiera, espiritual, intelectual y física que todo matrimonio exitoso debe tener. En segundo lugar, la *permanencia*, que es el compromiso de estar casado con tu cónyuge hasta la muerte. No significa que Dios no te ame si estás divorciado; Dios te ama, independientemente de tu estado civil. Sin embargo, Dios odia el divorcio, porque separa y lastima a las personas. No obstante, el abuso y la infidelidad también matan la permanencia en el matrimonio. Por lo tanto, estos deben evitarse a toda costa, para disfrutar del tipo de relación matrimonial que Dios desea que tengas. En tercer lugar, la *apertura*, que implica que seas transparente con tu cónyuge. Es una relación sin vergüenza. Es un ambiente de seguridad y cuidado mutuo, porque tanto el esposo como la esposa entienden claramente que están en el mismo equipo, y no tienen nada que ocultarle el uno al otro.

Convertirse en aliados íntimos es una decisión continua de ser paciente y amable con tu cónyuge, y protegerse mutuamente de cualquier entidad ajena que busque disminuir y destruir la relación. Ser aliados íntimos es una mentalidad que cultivan todos los días, con la intención de que la relación matrimonial les brinde felicidad, plenitud y satisfacción. Esta es la clase de relación matrimonial que deseamos que todos alcancen.

————————

1. H. Norman Wright, *The Secrets of a Lasting Marriage* [Los secretos del matrimonio duradero] (Ventura, CA: Regal Books, 1995), p. 152.

2. *Diccionario de la Real Academia Española*, "aliado", en http://dle.rae.es.

3. Elena G. de White, *El hogar cristiano* (Buenos Aires: Asociación Casa Editora Sudamericana, 2013), p. 86.

4. "Sin embargo, debido a la inmoralidad sexual, que cada hombre tenga su propia esposa, y que cada mujer tenga su propio esposo".

6

Cómo comunicarnos con gracia

La gente que tiene intenciones de tener una buena comunicación con sus seres queridos experimenta excelentes relaciones familiares. Si piensas en las personas de tu familia que realmente te agradan, admitirás fácilmente que son las que te hacen sentir bien por la manera en que te hablan y te escuchan.

Un amigo nos contó su historia tras unirse a un grupo de corredores de su vecindario que corre siete kilómetros por día. Después de regresar del entrenamiento un día, estaba entusiasmado con el hecho de que la segunda mitad de la carrera le había tomado menos tiempo que la primera mitad.

Ya que le preocupaba volver a estar en forma y más saludable, se sentía bien con su progreso durante el entrenamiento, y se lo mencionó a su esposa cuando regresó a casa. Sin pensarlo, ella le dijo: "La razón por la que pudiste correr más rápido en la segunda mitad es porque la mayor parte del camino de regreso está cuesta abajo".

¡Vaya! Nuestro amigo sintió como si alguien lo hubiera golpeado en el estómago. En lugar de recibir el apoyo que esperaba de su esposa, después de todo el arduo trabajo que estaba realizando con su ejercicio físico, se sintió invalidado por la respuesta irreflexiva que recibió de ella.

No cabe duda de que la gente se dice cosas mucho peores. Sin embargo, es justo preguntarse: ¿Tenía que decir eso? Y ya sea que sus comentarios sean correctos o no, no es lo esencial. Lo que sabemos es que no puede salir nada positivo de este tipo de observaciones.

Si deseas que tus relaciones familiares sean saludables y positivas, es importante que aprendas a comunicarte con gracia.

Cuando decimos *gracia*, estamos hablando del concepto espiritual relativo al favor inmerecido y el amor que Dios ofrece libremente a los seres humanos. La gracia es algo que no merecemos. Así como Dios perdona nuestras fallas incluso cuando no merecemos el perdón, comunicarse con gracia significa hablar con alguien de una manera que no se merece.

El Antiguo Testamento dice, en Proverbios 25:11: "Manzana de oro con adornos de plata: ¡eso es la palabra dicha cuando conviene!" (RVC).

De este modo, las familias pueden fomentar una vida de paz y felicidad usando palabras como regalos preciados de oro y plata que se pueden dar todos los días, incluso cuando un ser querido no se lo merece. ¿Puedes pensar en alguien de tu familia con quien necesitas usar la gracia en tu comunicación? Esta es una pregunta fácil de responder para la mayoría de nosotros, porque un gran porcentaje de la población mundial tiene un pariente con el que ha generado una relación difícil.

El concepto del doctor Stephen R. Covey de "ser proactivo" para una comunicación efectiva, incentiva a la gente a vivir dentro de lo que él llama su "círculo de control", en lugar de vivir en lo que él llama su "círculo sin control". Cuando vives en tu círculo de control, pasas la mayor parte del tiempo controlando a la única persona que realmente puedes controlar: a ti mismo. Esto es lo contrario de vivir la mayor parte de tu vida en tu círculo sin control, que es donde la gente pasa la mayor parte de su tiempo intentando controlar a los demás. La gente que es proactiva, vive su vida en su círculo de control, y es más probable que se comunique con gracia; no así los que se pasan la vida en su círculo sin control.

Lo cierto es que no puedes controlar a tu cónyuge, a tus hijos, a tus hermanos, a tus padres ni a tus parientes; en realidad, solo puedes controlarte a ti mismo. Entonces, cuando alguien te dice algo que no es muy agradable, en lugar de usar tu energía procurando cambiarlo a él, es mucho más provechoso usar ese tiempo desarrollando tu respuesta de paz y gracia. Como mencionamos anteriormente, entre lo que alguien te dice y tu respuesta hay un espacio. Entonces, antes de responder, recuerda hacer tres cosas en ese espacio: *detenerte, pensar* y *decidir*.

Cuando alguien nos dice algo que no nos gusta, tendemos a responder rápidamente y de la misma manera. Sin embargo, para comunicarte con gracia, para responder de una manera que los demás no se merecen, debes ser proactivo, vivir en tu círculo de control, hacer una *pausa*, para que tengas tiempo de recuperar el aliento antes de hablar, no sea que vayas a decir algo que causará más dolor o que empeorará las cosas. En ese espacio, antes de tu respuesta, también debes *pensar* en lo que no debieras decir y en lo que sí debieras decir para mejorar las cosas. Finalmente, debes *elegir* la respuesta correcta. La respuesta correcta es la que calmará las cosas, en vez de "echarle leña al fuego". Esto es lo que significa usar palabras como regalos de oro y plata.

Quienes prestan poca importancia a fomentar relaciones familiares saludables viven en su círculo sin control. En lugar de tomar decisiones cuidadosas al responder en su conversación con un miembro de la familia, culpan a la otra persona por comenzar la pelea y se sienten justificados para insultarla. Estas personas responden de forma reactiva en lugar de elegir ser proactivos. No se toman el tiempo para analizar lo que la otra persona dijo y responder con tranquilidad, y no consideran las consecuencias y el impacto que tendrá su respuesta en la relación. Por lo tanto, no se detienen, no piensan, y no toman buenas decisiones para la salud de su relación con el miembro de la familia en cuestión.

La gente a menudo nos dice que es muy difícil vivir con miedo a herir los sentimientos de sus seres queridos. Dicen que no es normal. Afirman que la gente, simplemente necesita dejar de ser tan sensible, y que la comunicación con los demás necesariamente trae aparejado ese dolor.

Si bien en algún sentido esto es cierto, las relaciones familiares, así como las demás relaciones, son análogas a conducir un automóvil. Cuando llegamos a un semáforo en rojo, nos detenemos. Lo natural sería seguir conduciendo para llegar a nuestro destino más pronto y sin interrupciones. Sin embargo, debido a que no somos los únicos que manejamos en las carreteras de las ciudades donde vivimos, tenemos que tener presente que compartimos el camino con otros conductores que van en diferentes direcciones.

Los semáforos existen para ayudar a todos los conductores a llegar a destino de forma segura. Si tenemos paciencia, todos tendremos la oportunidad de llegar a destino. Si no prestamos atención a los semáforos colocados en lugares estratégicos, lo más probable es que choquemos con otros autos, que lastimemos a otros o que resultemos heridos, y quizás incluso hasta causemos un accidente fatal debido a nuestra falta de atención y preocupación.

Las relaciones familiares son muy frágiles, y las conversaciones que entablas en el contexto de esas relaciones necesitan mucha atención. Si tienes la intención de ser cuidadoso y constructivo en las relaciones familiares, esas decisiones ayudarán a resguardar tus relaciones y evitar herir sentimientos, lo que podría llevar al fin de una relación.

Entonces, ¿cuál es la responsabilidad del esposo con sentimientos heridos? El hecho de que su esposa haya expresado algo que le causó dolor, ¿le da derecho a decir algo para lastimarla? Por supuesto que no; de hecho, esta es su oportunidad para comunicarse con gracia, de responderle de una manera que ella, quizá, no merezca. Ese es el verdadero significado de la gracia. Aquí es donde el esposo necesita vivir en su círculo de control y ser proactivo. Aquí es donde el esposo se detiene, piensa y elige la respuesta correcta para mantener su relación matrimonial sana y fuerte, a pesar de lo que dijo su esposa.

Es cierto que, dado que todos somos seres humanos, aunque no pretendamos herir a uno de los miembros de nuestra familia, prediciblemente diremos o haremos algo que les cause dolor. Cuando esto sucede, es nuestra oportunidad de disculparnos. Esta es tu oportunidad de vivir en tu círculo de control y asumir la responsabilidad de lo que hiciste, en lugar de culpar a la otra persona por ser demasiado sensible. Aquí es donde uno puede decir que lamenta haberle causado dolor emocional a su cónyuge, incluso si esa no era su intención. Aquí es donde puede decidir hacer una pausa, pensar y elegir la respuesta correcta para ayudar a construir una relación más fuerte y saludable con su esposo o esposa.

La sabiduría del Nuevo Testamento también es muy práctica y útil a la hora de buscar formas efectivas de comunicarse con gracia. Ya lo hemos mencionado antes, pero queremos compartir nuevamente lo que dice Santiago 1:19: "Todos deben estar listos para escuchar, y ser lentos para hablar y para enojarse".

Entonces, mientras algunos quizá crean que las mujeres o los niños debieran ser rápidos en escuchar y lentos para hablar, el sabio consejo de la Biblia es que *"todos"* deben escuchar con rapidez y demorarse en hablar. Esto significa que no hay nadie en la familia que no tenga la responsabilidad de comunicarse bien, de comunicarse con gracia. Y, a menudo, la comunicación comienza aprendiendo a escuchar bien, para mejorar todas nuestras relaciones familiares.

7

No hay excusas para el abuso en la familia

En febrero de 2013, televidentes de todo el mundo miraban ansiosos sus pantallas para escuchar el veredicto en el juicio a Oscar Pistorius, el famoso corredor paralímpico y de los Juegos Olímpicos. Oscar fue declarado culpable de matar a tiros a su novia, Reeva Steenkamp; aunque decía que la había confundido con un intruso en el departamento que compartían.

No tenemos que ir muy lejos para saber que la violencia ha invadido nuestra sociedad, y hay muchos casos en todo el mundo que nunca llegarán a los titulares. Las familias están destrozadas por la violencia sin sentido en sus propios hogares, ya que muchos eligen la violencia como el principal medio de comunicación familiar. El impacto de estas decisiones es de un alcance increíble y muy destructivo para personas de todas las edades, y también para sus familias.

Si bien quizá no podamos controlar la violencia que nos rodea, lo bueno es que, gracias al poder de Dios, hay un suministro ilimitado de dominio propio disponible para quienes lo soliciten y lo acepten. La Palabra de Dios está llena de consejos sobre cómo construir relaciones sólidas y vigorosas, especialmente en nuestra familia.

En este capítulo, veremos brevemente la naturaleza destructiva de la violencia y del abuso en la familia, y repasaremos la intención original de Dios y el plan perfecto para nuestras relaciones y nuestras familias. También exploraremos los elementos de las relaciones sanas y piadosas. Muchos grupos de todo el mundo están comprometidos con la detención y la prevención de la violencia, y buscan proporcionar a la gente y a las familias las habilidades y los conocimientos necesarios para construir relaciones saludables.

Es evidente, por los incidentes generalizados de abuso en nuestros hogares, que estamos muy alejados del ideal de Dios para las relaciones humanas. Muchos de aquellos que profesan ser cristianos no poseen ninguna de las características de Cristo.

Desafortunadamente, en demasiadas situaciones los abusadores han utilizado indebidamente las Escrituras y la teología para justificar sus comportamientos abusivos. Asimismo, otros colaboradores bien intencionados también han utilizado mal la Biblia para convencer a las víctimas de que acepten la violencia continua en sus familias. Este mal uso de las Escrituras puede ser peligroso e incluso letal para las víctimas involucradas. Las comunidades responsables ya no pueden ni deben guardar silencio.

El silencio perpetúa el ciclo de la violencia doméstica y no conduce al cambio. Todas las comunidades, especialmente las comunidades eclesiásticas, deben hacer esfuerzos para ayudar a las familias a detener el abuso y a crear entornos más saludables para niños, adolescentes y adultos.

Por supuesto, es obvio que vivimos en una era de violencia. Nuestros sentidos son bombardeados por la violencia en las noticias, la música, la televisión y otros medios de comunicación y redes sociales. Muchas personas llegan a ser objeto de violencia. Las víctimas que más tocan nuestros corazones son las mujeres y los niños. Es cierto que los hombres también son víctimas de abuso y violencia, pero en menor grado, y quizá se deba a la falta de informes. Independientemente de quién sea la víctima, la violencia doméstica o familiar es incompatible con el plan de Dios para la familia humana.

Primero, veamos algunas definiciones e información general sobre la violencia doméstica. La violencia doméstica incluye abuso físico, sexual y emocional. No existe una jerarquía para el abuso; todas las formas de abuso son destructivas.

El abuso físico puede incluir comportamientos como empujar y patear, y puede escalar a ataques más dañinos y graves. Si bien puede comenzar con pequeños moretones, podría terminar en asesinato.

El abuso sexual puede incluir manoseos inapropiados y comentarios verbales. La violación, el maltrato sexual, la pedofilia y el incesto también se incluyen en esta categoría.

El abuso emocional incluye comportamientos que degradan o menosprecian de alguna manera a la víctima. Puede incluir amenazas verbales, episodios de ira, lenguaje obsceno, exigencias de perfección e invalidación del carácter y de la persona. La posesividad extrema, los celos, el aislamiento y privar a alguien de los recursos económicos son psicológica y emocionalmente abusivos y destructivos.

No existe un perfil definitivo de abusadores o de víctimas. Ambos pueden provenir de todas las edades, todos los grupos étnicos, clases socioeconómicas, profesiones y comunidades religiosas o no religiosas. El abuso y la violencia pueden adoptar varias formas: física, sexual o emocional. En el caso de los ancianos y los niños, también puede incluir la negligencia severa.

Las víctimas

- En los Estados Unidos, una de cada cuatro mujeres experimentará violencia doméstica, también conocida como violencia conyugal o familiar, durante su vida.[1]
- Las mujeres son más propensas que los hombres a ser asesinadas por su pareja.
- Las mujeres entre los 20 y los 24 años tienen el mayor riesgo de convertirse en víctimas de violencia doméstica.[2]
- Cada año, una de cada tres mujeres víctimas de homicidio es asesinada por su pareja actual o su expareja.[3]

Las consecuencias

- Los sobrevivientes de la violencia doméstica "enfrentan altas tasas de depresión, alteraciones del sueño" y otros trastornos emocionales.[4]
- "La violencia doméstica contribuye a la falta de salud de muchos sobrevivientes".[5]
- "Sin ayuda, las niñas que son testigos de violencia doméstica son más vulnerables al abuso durante su adolescencia y adultez".[6]
- "Sin ayuda, los varones que son testigos de violencia doméstica son mucho más propensos a convertirse en abusadores de sus parejas o hijos al llegar a adultos, perpetuando así el ciclo de violencia a la próxima generación".[7]

- La mayoría de los incidentes de violencia doméstica *nunca* se denuncian.[8]

En la violencia doméstica, *siempre hay un uso indebido del poder, y un desequilibrio de poder.* La violencia doméstica se caracteriza por el miedo, el control y el daño. Una persona en la relación utiliza la coerción o la fuerza para controlar a la otra persona o a otros miembros de la familia. El abuso puede ser físico, sexual o emocional.

Hay varias razones por las que los abusadores o los agresores pueden optar por abusar de su poder:

- Piensan que es su derecho; es decir, sería parte de su papel.
- Se sienten autorizados a usar la fuerza.
- Aprendieron este comportamiento en su pasado, y no conocen otro, tal vez.
- Piensan que este comportamiento funciona.

En la mayoría de los casos de abuso denunciados, el abusador es un hombre. Sin embargo, también pueden ser mujeres. El abuso no tiene cabida en las relaciones saludables.

Los abusadores suponen que tienen el derecho de controlar a todos los miembros de su familia. La voluntad de usar la violencia para lograr este control proviene de cosas que han aprendido. De diversas fuentes, el abusador ha aprendido que es apropiado para quien es más grande y fuerte (generalmente, un hombre) golpear a otros "por su propio bien" o porque "los ama", por ejemplo.

Los abusadores aprenden comportamientos abusivos de varias fuentes, incluida la observación de padres y compañeros, la interpretación errónea de las enseñanzas bíblicas y de algunos medios de comunicación (chistes, caricaturas y películas) que retratan el control y el abuso como parte normal de las relaciones.

A veces, las víctimas incluso piensan que son la causa o que merecen el abuso. Pero esto no es cierto. El comportamiento de la víctima no causa la violencia del abusador. El abusador tiene el control de la violencia, no la víctima.

Estos hechos no son agradables, y nos recuerdan la desintegración del mundo en el que vivimos. Las buenas nuevas y la esperanza para las familias actuales es que Dios no nos ha dejado solos. La Biblia presenta la verdadera imagen de cómo deberían ser las relaciones humanas. Los seres humanos fuimos creados por un Dios amoroso y relacional que nos formó para estar en relación con él, en primer lugar, y luego con los demás. Como fuimos creados a su imagen (Génesis 1:27), todas nuestras relaciones deberían ser un reflejo de él y de su amor. Por supuesto, a diferencia de Dios, no somos perfectos, y debido a estas imperfecciones tendremos problemas en nuestras relaciones. Por lo tanto, debemos buscar la conducción de Dios, para que nos dé gracia y fortaleza a fin de ser más amorosos, amables y pacientes, y para ejercer el dominio propio en todas nuestras relaciones.

Dios nos ha proporcionado un medio para tener relaciones saludables. Se nos llama a edificarnos unos a otros; esto se llama *empoderamiento*. Cuando nos empoderamos mutuamente en la familia, construimos una gran confianza en la relación. Cuando hacemos mal uso del poder mediante el dominio y la coacción, destruimos la confianza. La confianza es clave en el proceso de empoderamiento.

Los padres que empoderan a sus hijos y los preparan para una interdependencia responsable, les brindarán las habilidades necesarias para vivir como adultos saludables y para formar y mantener relaciones saludables. Cuando los padres utilizan formas poco saludables de poder y control con los niños, estos se desconectan de su familia y aprenden formas negativas de usar el poder y de relacionarse con los demás.

El empoderamiento es amor en acción, una característica piadosa que debemos imitar. Si podemos practicar el empoderamiento en nuestra familia, esto revolucionará la visión de la autoridad en nuestros hogares. La coerción y la manipulación son lo opuesto del empoderamiento, una distorsión de lo que es el verdadero poder. El empoderamiento se refiere a la reciprocidad y la unidad.

El amor y la gracia de Dios nos otorgan el poder de empoderar a los demás. Cuando se produce el empoderamiento mutuo entre los miembros de la familia, cada uno crecerá exponencialmente en humildad y en amor. En verdad, los miembros de la familia comenzarán a asemejarse más a Cristo. Y se nos promete que recibiremos su poder, al tratar de tener relaciones saludables.

En la actualidad, hay muchos que se encuentran fuera de este modelo de relaciones familiares saludables. Si han tenido algún episodio de abuso, te alentamos, a partir de hoy, a esforzarte para que tu hogar y tus relaciones estén libres de abuso de cualquier índole. Te pedimos que reconozcas el abuso y busques consejo y ayuda profesional lo antes posible, con el propósito de comenzar el proceso de curación. Este paso traerá una mayor esperanza a tu familia hoy.

---

1. *"Get the Facts and Figures"* [Conozca los hechos y las estadísticas], línea directa nacional de violencia doméstica, http://www.thehotline.org/resources/statistics/.

2. *"Domestic Violence"* [Violencia Doméstica], Centro de Mujeres del Área de la Bahía, http://bawc-mi.org/site15/index.php/2015-03-30-00-21 -30/domestic-violence.

3. *Ibíd.*

4. *Ibíd.*

5. *Ibíd.*

6. *Ibíd.*

7. *Ibíd.*

8. *Ibíd.*

8

Cómo prevenir las crisis matrimoniales y el divorcio

Las bodas son ocasiones hermosas, placenteras y sumamente felices. Cuando una pareja está de pie ante el altar, tomados de la mano, mirándose a los ojos, recitando sus votos, está llena de alegría y esperanza. Todas las parejas creen que su amor es tan especial y su vínculo tan fuerte, que estarán juntos por siempre "en la salud y en la enfermedad" y "en la prosperidad o en la adversidad".

La realidad es que la mayoría de las parejas terminará en uno de tres grupos: parejas que prosperan, parejas en conflicto o parejas que desisten. En los Estados Unidos y en muchos países del mundo, entre el 40 y el 50 por ciento de los matrimonios en primeras nupcias terminarán en divorcio.[1] ¿Qué sucede con los votos de seguir juntos "hasta que la muerte nos separe"? ¿Será que quienes formularon los votos no se los tomaron en serio? ¿O hay una falta de comprensión completa de lo que significan los votos?

Como muchas parejas tienen conocimiento de las elevadas tasas de fracaso matrimonial, atenúan sus votos matrimoniales, adaptando las palabras que se encuentran en los votos tradicionales. Algunos votos ahora dicen: "Siempre y cuando ambos nos amemos", en lugar de "mientras ambos vivamos". Pareciera que algunas parejas están bajando sus expectativas solo en caso de que no sean capaces de alcanzar tan alto nivel de compromiso.

A simple vista, nos podemos dar cuenta de que el matrimonio, como institución, ha recibido un gran golpe en todo el mundo. Todos conocemos a alguna pareja que ha experimentado el divorcio. Y en los países donde no existe un divorcio legal, muchas parejas se separan, viven vidas distanciadas mientras ocupan la misma casa, o viven con altos niveles de angustia. Sin duda, la mayoría hemos vivido, de primera mano o de cerca, el dolor de las relaciones complicadas.

Ante esta desalentadora realidad, ¿cómo puede

una pareja permanecer felizmente casada para toda la vida? ¿Cómo puede una pareja, en la sociedad actual, formar un matrimonio que dure toda la vida, o vivir "felices para siempre"? ¿Es posible prevenir las crisis y el divorcio? Hay una buena noticia, y es que las parejas pueden permanecer felizmente casadas durante toda la vida, minimizar las crisis y mantenerse al margen de los tribunales de divorcio.

La mayoría nos hemos *enamorado* o hemos oído hablar de esto. Al menos, así es como nuestra sociedad lo llama a esa oleada de sensaciones vertiginosas y de mariposas en el estómago que tenemos cuando conocemos a alguien que nos atrae poderosamente. Pero eso no es amor verdadero. Es, simplemente, la respuesta natural del organismo al influjo de neuroquímicos que se vierten en el sistema límbico del cerebro cuando conocemos a alguien que consideramos atractivo. Nosotros preferimos llamarlo *atracción*.

Otra realidad es que esta respuesta vertiginosa no es duradera con la misma persona, a menos que nos propongamos conectarnos positivamente, a diario. La fuerza poderosa que nos conecta al principio comienza a desaparecer una vez que dejamos de hacer todas las cosas maravillosas que hicimos al comienzo de la relación y tenemos que superar las preocupaciones de la vida diaria. Se le ha hecho creer a la gente que cuando los sentimientos románticos se disuelven, *el amor se esfuma.*

Los psicólogos y demás científicos están descubriendo que los seres humanos fuimos diseñados para conectarnos íntimamente con otro ser humano. La gente siente la necesidad de amar, dar y recibir confianza, protección y seguridad con alguien que no forme parte de su familia de origen.

Lo opuesto a la cercanía o la intimidad es el aislamiento, y el cerebro interpreta que este aislamiento es peligroso para nuestro bienestar. Es por eso que casarse continúa siendo uno de los principales objetivos de la mayoría. Tener un compañero de vida a menudo es nuestra única fuente de apoyo, bienestar e intimidad, la más confiable. En esta era de creciente aislamiento y soledad, incluso los científicos concuerdan en que ahora más que nunca la gente necesita tener vínculos de compromiso de por vida. Y las evidencias sugieren que es posible conservar estos lazos románticos en una relación de compromiso como el matrimonio.

La sensación de *enamorarse* es algo hermoso. Pero las relaciones son dinámicas y siempre van cambiando. Por tanto, por más profundo que parezca ese amor, se basa sola y exclusivamente en un sentimiento y en un nivel de compromiso extremadamente superficial, que tarde o temprano se desvanecerá o se disipará. Sin embargo, con mucho esfuerzo, tiempo, compromiso y disposición para seguir adelante, es posible cultivar y mantener (o reavivar) un amor que puede ser satisfactorio y estable para toda la vida.

Construir un matrimonio exitoso es como construir una casa. Exige un plan y requiere un compromiso de trabajo arduo. A continuación ofrecemos cinco pasos esenciales para formar un matrimonio fuerte y saludable.

1. Construye tu matrimonio con amor auténtico

El verdadero amor requiere entender las necesidades de los demás y estar dispuestos a practicar la abnegación por el bien de la relación. El verdadero amor requiere mucha energía y sacrificio, pero conserva nuestra determinación de formar el mejor matrimonio posible. El Nuevo Testamento nos da esta sabia definición:

> El amor es paciente, es bondadoso. El amor no es envidioso ni jactancioso ni orgulloso. No se comporta con rudeza, no es egoísta, no se enoja fácilmente, no guarda rencor. El amor no se deleita en la maldad, sino que se regocija con la verdad. Todo lo disculpa, todo lo cree, todo lo espera, todo lo soporta. El amor jamás se extingue, mientras que el don de profecía cesará, el de lenguas será silenciado y el de conocimiento desaparecerá (1 Corintios 13:4-8).

2. Acepten los defectos e imperfecciones mutuamente

Debemos aprender a valorarnos mutuamente en el matrimonio y a aceptar que no somos perfectos. Estamos hablando de tener un matrimonio lleno de gracia. La gracia es algo que das a alguien aunque no lo merezca. Entonces ofreces bondad, paciencia, dulzura y más... incluso cuando no tienes ganas. ¿Por qué? Porque en algún momento, incluso a diario, tu cónyuge tendrá que hacer lo mismo por ti.

Lo maravilloso de la gracia es que no puedes ganártela ni comprarla. Y como dador de gracia, puedes ofrecer amor y aceptación como un regalo para tu cónyuge. La gracia en el matrimonio crea una atmósfera que va más allá de la culpa y la vergüenza, y prepara el escenario para el crecimiento y el compromiso renovado en la relación.

3. Escucha a tu cónyuge

Una gran cantidad de investigaciones científicas acerca del matrimonio sugiere que la mayoría de las relaciones experimenta angustia debido a la falta de comunicación efectiva. Si los casados y la gente en general aprendieran a comunicarse mejor, tendrían mucha más comprensión entre sí y una base para una relación más fuerte y saludable.

La buena comunicación es a cualquier relación lo que el agua y la luz del sol son para un césped saludable. Escuchar bien es como el fertilizante que se derrama en la superficie para nutrir y enriquecer el suelo. En la mayoría de las relaciones, cuando hay una queja es porque algunas necesidades no están siendo satisfechas, y las voces no se escuchan. Las parejas que se comunican bien entienden que *escuchar activamente* es un ingrediente esencial en su matrimonio.

La escucha activa significa escuchar con los oídos, los ojos y el corazón. Transmite a tu cónyuge que estás más interesado en escuchar lo que tiene que decir que en defenderte y en expresar tu observación. Una vez más, la escucha activa requiere abnegación, otro ingrediente esencial para que el matrimonio dure toda la vida.

Cuando cada persona en el matrimonio se siente escuchada y entendida, la pareja se acerca, la intimidad aumenta y el compromiso mutuo se fortalece.

4. Perdona seguido

El *Oxford English Dictionary* (1989) tiene estas definiciones de *perdonar*: (1) dejar de sentirse enojado con alguien por una ofensa, defecto o error; (2) ya no sentirse enojado ni con deseos de venganza; (3) cancelar una deuda.

El perdón allana el camino para la sanidad y la reconciliación en toda relación. En el matrimonio, inevitablemente ambos se lastimarán mutuamente. Cuando perdonamos, renunciamos a creernos con derecho a castigar o a tomar represalias por el mal que se nos ha infligido. Cuando no perdonamos, la amargura y el resentimiento aumentan en la relación. El perdón nos libera de estos sentimientos y nos sana. El perdón, en esencia, es para el perdonador más que para el perdonado.

5. Abraza más

La mayoría de las parejas siente muchos deseos de casarse, para disfrutar de los beneficios físicos del matrimonio. Pero a medida que la vida cotidiana asume el control y la euforia desaparece, nos olvidamos de hacer las cosas que hacíamos al principio. El abrazo es una forma fácil de reconectarse a diario. Cuando nos abrazamos o nos tocamos, se libera la hormona oxitocina. La oxitocina es la hormona que aumenta nuestro vínculo con otra persona; también disminuye la presión arterial y reduce el estrés. En resumen, hay muchos beneficios que podemos obtener de un simple abrazo. Animamos a las parejas a que se abracen por un minuto cada mañana antes de separarse, y todas las noches cuando vuelven a verse.

Conclusión

Lo que distingue a los matrimonios exitosos de aquellos que constantemente experimentan angustia o terminan en divorcio son las habilidades relacionales: saber cómo mantener el amor verdadero, resolver conflictos, practicar el perdón y la aceptación, mantener el romance y mejorar la comunicación. La mayoría de las parejas no está adecuadamente preparada para esto, ¡pero cada pareja puede aprender! Es peligroso volverse excesivamente complaciente o fomentar la desesperanza en el matrimonio.

Si estás dispuesto a integrar estos pasos constructivos en tu matrimonio, cimentarás un matrimonio que resistirá las tormentas de la vida. Aunque todos los matrimonios experimentarán dificultades en algún momento u otro, no es necesario que se separen cuando lleguen las pruebas. Las parejas que aprenden a trabajar juntas como equipo en las buenas y en las malas, verán que su matrimonio no solo sobrevivirá, sino también prosperará. ¡Y "vivirán felices para siempre"!

---

1. *"Marriages and Divorces"* [Matrimonios y divorcios], *DivorceStatistics*, http://Divorcestatistics.org y *"Crude Divorce Rate"* [Estadísticas crudas de divorcios]; *Eurostat*, http://ec.europa.eu/eurostat/web/products-datasets/-/tps00013.

9

Cómo encontrar paz siendo soltero

Hace poco celebramos 34 años de matrimonio. Para algunos de ustedes, esto es más que sus años de vida. Sin embargo, para nosotros pareciera que fue ayer cuando intercambiamos nuestros votos matrimoniales en una hermosa tarde de verano en el noreste de los Estados Unidos.

De pie ante el pastor hace mucho tiempo, cuando prometimos amarnos "hasta que la muerte nos separe", no teníamos idea de que sería tan difícil mantener esos votos intactos. Resultó bastante fácil expresar las palabras, especialmente en esa atmósfera de éxtasis y anticipación. Por otro lado, nada nos podría haber preparado para la vida tan dichosa que tuvimos como marido y mujer, a pesar de tener que aceptar el hecho de que no hay matrimonios perfectos, porque no hay personas perfectas.

Muchos solteros desean casarse, y creen que sería más fácil llevar una vida responsable de este modo. ¿Es esto realmente cierto? ¿Tienen los casados ventaja en este mundo obsesionado por el sexo? ¿O las personas casadas también son vulnerables, ya que tienen que afrontar las presiones de la vida con sus plazos y demandas para alcanzar el éxito?

En realidad, si bien casarse es relativamente fácil, la vida de casado es mucho más difícil. Entonces, ¿qué debe hacer un soltero hasta que encuentre a la persona adecuada para casarse, ya que los fuertes impulsos sexuales y los mensajes sexuales omnipresentes son reales en esta vida posmoderna?

Al explorar este tema tan importante, es esencial reconocer que la sexualidad fue idea de Dios y que, indudablemente, es muy buena. No obstante, el maligno ha intentado destruir todo lo que Dios creó para nuestro bien. Al igual que la experiencia de Eva con la serpiente en el Jardín del Edén, el maligno sigue presentando alternativas atractivas a las instrucciones de Dios para mejorar la vida, con la esperanza de que caigas en sus mentiras que, en definitiva, te causarán gran dolor y sufrimiento.

Fue en el mismo comienzo que Dios declaró en Génesis 2:24 y 25: "Por eso el hombre deja a su padre y a su madre, y se une a su mujer, y los dos se funden en un solo ser. En ese tiempo el hombre y la mujer estaban desnudos, pero ninguno de los dos sentía vergüenza". Según la Biblia, existe un contexto específico para la expresión sexual: después de que una persona deja a su padre y a su madre y se compromete en matrimonio con su cónyuge. Este es el escenario en el que no hay vergüenza para la actividad sexual, ya que es en este contexto que una persona ha asumido un compromiso de por vida con otro ser humano, y ahora está lista para disfrutar de los privilegios que conlleva esa entrega.

En caso de que no estés seguro de lo que Dios está diciendo, él declara: "La voluntad de Dios es que sean santificados; que se aparten de la inmoralidad sexual; que cada uno aprenda a controlar su propio cuerpo de una manera santa y honrosa, sin dejarse llevar por los malos deseos como hacen los paganos, que no conocen a Dios" (1 Tesalonicenses 4:3-5). Este pasaje deja muy en claro que si dices que eres creyente, tienes que controlar tu cuerpo y tus pasiones para que puedas llevar una vida de integridad moral y honor para Dios.

La Biblia aclara aún más el contexto apropiado para la actividad sexual, al declarar en 1 Corintios 7:1 y 2: "Es mejor no tener relaciones sexuales. Pero, en vista de tanta inmoralidad, cada hombre debe tener su propia esposa, y cada mujer su propio esposo". Este consejo inspirado no es simplemente para los santos en el cielo, se fundamenta en la realidad de la vida en la Tierra. El escritor bíblico acepta que como Dios predispuso a la humanidad para que tenga relaciones sexuales, tendrá un profundo deseo de hacerlo. Sin embargo, esta realidad no da licencia a quienes desean vivir una vida moral íntegra (o ser obedientes a Dios) para eliminar los principios establecidos por Dios en el principio. Al contrario, las limitaciones son claras: que para que haya lugar para la expresión sexual, *debe* darse entre un hombre y su esposa, o una mujer y su marido. Además, fíjate que si eres hombre, te casas con una mujer; y si eres mujer, te casas con un hombre.

Walter Trobisch, escritor alemán especialista en matrimonio y familia, expresó cierta vez: "El sexo no es una prueba de amor, ya que precisamente aquello que uno quiere probar es destruido por la prueba".[1] Esta afirmación es todo lo contrario de lo que se practica en la actualidad, en que el *individuo* es lo más valorado en la sociedad. Esto significaría que cualquier cosa que una persona desee hacer tiene derecho a hacerlo, siempre y cuando nadie salga lastimado en el proceso. Por supuesto, a una persona tan narcisista y hedonista le preocupa muy poco quién quede herido en el proceso. Este tipo de persona solo está interesada en lo que puede obtener, no en lo que puede ofrecer. El amor verdadero siempre se pregunta: ¿Qué puedo dar?, en vez de: ¿Qué puedo obtener? Este concepto está documentado en la Biblia, en San Juan 3:16, que dice: "Porque tanto amó Dios al mundo que *dio*" (énfasis agregado).

Jugarte por los principios éticos del Dios que te creó para vivir una vida moral y responsable es, sin duda, la mejor de las dos opciones. En Jeremías 29:11, Dios dice: "Porque yo sé muy bien los planes que tengo para ustedes —afirma el Señor—, planes de bienestar y no de calamidad, a fin de darles un futuro y una esperanza". Este es un buen lugar para comenzar cuando se trata de nuestra ética sexual en cuanto a encontrar la paz como solteros.

Y si hablamos de un buen lugar para comenzar, Stephen R. Covey, en su libro *Los 7 hábitos de las familias altamente efectivas*, identifica como hábito número dos el comenzar con el final en mente. Este hábito se compara con el vuelo de un avión. Cuando los aviones viajan de un lugar a otro, los pilotos tienen que presentar un plan de vuelo con un destino claro en mente. Esto es extremadamente importante, ya que a menudo se producen tormentas durante el viaje que obligan al piloto a dirigir el avión rodeando la tormenta o pasando por encima. Sin embargo, debido a que se presentó un plan de vuelo con un claro destino en mente, mientras el piloto siga el plan de vuelo, lo más probable es que el avión aterrice en ese destino final cerca del horario planificado.

Lo mismo cabe decir de tu vida. Debes decidir claramente desde el mismo comienzo de tu viaje cuál es el destino que deseas para ti y para tus relaciones. Una vez que hayas acordado qué tipo de vida deseas llevar, tendrás que crear una "declaración de misión" que te mantendrá concentrado en el destino final que has elegido para ti. Tu plan de vuelo es similar a tus valores. Debes decidir qué valores aceptarás como parte de tu vuelo y qué valores mantendrás fuera de tu plan de vuelo, para que puedas llegar con seguridad al destino que tienes en mente para tu vida.

Es indudable que surgirán sentimientos e impulsos durante tu viaje, al igual que las tormentas que se presentan en el vuelo de un avión. Sin embargo, si el plan de vuelo de tu vida está cargado de valores bíblicos que hacen las veces de brújula moral, es más probable que llegues al destino que elegiste para ti al comienzo de tu viaje.

Uno de los escollos que lleva a la inmoralidad sexual son los pensamientos que acariciamos. Lo que una persona piensa tiene mucho que ver con lo que mira y escucha. Nunca antes en la historia de la humanidad alguien ha estado expuesto a mirar y escuchar tanto contenido inmoral como lo estás experimentando hoy. El Internet ha facilitado la vida de muchas maneras a personas de todo el mundo, pero al mismo tiempo ha hecho que sea mucho más difícil que nunca ser una persona moral. Con el acceso masivo a computadoras, tabletas y teléfonos inteligentes, permanecer siendo una persona moralmente correcta es cada vez más desafiante para todos. También es importante aceptar que los solteros no son los únicos expuestos a este tipo de tentación, que se presenta en igualdad de oportunidades para cada ser humano, ya sea casado o soltero. Esta es la razón por la que la Biblia dice en Proverbios 4:23: "Por sobre todas las cosas cuida tu corazón, porque de él mana la vida".

Entonces, contrariamente al pensamiento establecido en las sociedades actuales de que las personas no pueden hacer nada para entrenar su impulso sexual, está bien documentado entre los científicos que el cerebro es el órgano sexual más importante de los seres humanos. Por tanto, la sexualidad humana está muy lejos de las explicaciones sexuales que les damos a los niños acerca de "los pájaros y las abejas". El hecho es que el impulso sexual en los seres humanos se activa desde la corteza prefrontal del cerebro, esa parte del cerebro donde se adquiere todo el aprendizaje y que es el centro de las decisiones. Debido a que Dios creó a los seres humanos con cerebro, son responsables por su sexualidad y por las decisiones que toman al respecto cada día. Los seres humanos tienen el poder de tomar decisiones, por más que su bioquímica luche contra el cerebro. Las personas pueden utilizar sus cerebros sumamente desarrollados para decidir cómo, cuándo y dónde expresarán sus impulsos sexuales. Esta realidad es lo que distingue a los seres humanos de los animales.

Otra mentira que se está perpetrando en la sociedad actual es que tener relaciones sexuales reforzará la autoestima, haciéndote más atractivo o más seguro. Las mujeres, especialmente, quieren ser atractivas, y con frecuencia usan el sexo como un barómetro de su valía y como un medio para la conexión relacional. Los hombres, por otro lado, usan el sexo para sentirse más seguros y capaces. En realidad, esto tiene que ver con el poder y el rendimiento, la competencia y los logros, y para muchos es todo un juego determinar cuántas conquistas han disfrutado.

Desafortunadamente, las relaciones sexuales prematrimoniales o extramatrimoniales nunca te validarán ni a ti ni a tu relación. Si eres mujer, no te harán más atractiva; si eres hombre, no eliminarán tu inseguridad. De hecho, es más probable que el sexo clandestino tenga el efecto opuesto sobre ti. Te hará sentir más denigrado, desesperado, solo e inseguro.

Entonces, ¿qué decisiones sexuales debes tomar? Es necesario estar al tanto de las opciones que tienes y manejarlas, en vez de permitir que ellas te manejen a ti. Estas son algunas de esas opciones: la opción "sencillamente sucedió"; la opción "si estamos enamorados, no hay nada de malo"; la opción de "el sexo nos acerca"; y la opción "vamos a establecer límites". Ya sea que estés casado o soltero, todas estas decisiones son una farsa, salvo la última opción. A menos que establezcas límites sanos con anticipación, ya seas casado o soltero, tendrás problemas; entonces, establece esos límites saludables ahora, antes de que se presente la tentación.

Para hallar paz como soltero, es importante que identifiques tus valores en primer lugar, que decidas que estos te guíen y que confíes en que Dios te dará la fortaleza moral para vivir según esos valores cada día.

---

1. Walter Trobisch, *I Married You* (Nueva York: Harper y Row, 1971), pp. 75-77.

Epílogo

No hace mucho conversábamos con una pareja que tenía más de veinticinco años de matrimonio. Muy alegre, la esposa nos comentaba de las maravillosas vacaciones que acababan de disfrutar en Aruba. La feliz dama nos dijo que ella y su esposo habían hecho de su matrimonio la prioridad más importante de sus vidas, por lo que ahorraron mucho dinero para disfrutar juntos en ese lugar hermoso. Pero tan pronto como ella mencionó el lugar adonde habían ido, casi molesto, el esposo intervino y dijo: "No, querida, fuimos a Barbados, ¿recuerdas?" De inmediato, la actitud alegre de la encantadora dama cambió de la alegría al desconcierto.

En otra ocasión, conversábamos con una familia que tiene tres hijos adolescentes, y el hijo más pequeño comentaba con cierto orgullo que hacía tres años que practicaba esquí acuático en un campamento de verano. Su relato era cautivador, por la alegría que manifestaba al hablar de esa actividad, ya que se sentía muy seguro de sus habilidades para ese deporte, pero de pronto su madre lo interrumpió: "No Mateo, fue hace dos años, no hace tres". Al instante, el rostro radiante del muchacho fue reemplazado por un ceño fruncido, y su lenguaje corporal de seguridad fue sustituido por la caída de sus hombros.

Estas historias nos enseñan que nunca hemos visto que aumente la felicidad de las parejas, que sus relaciones se afiancen, o que haya mejorado la relación entre padres e hijos, cuando uno de los miembros de la familia interrumpe y corrige al otro en una conversación.

La verdad es que a pesar de lo amable que pudo haber querido ser el esposo de la primera historia, y de cuán útil haya querido ser la madre de la segunda anécdota, estos son ejemplos muy ofensivos de la tendencia que muchos tenemos de corregirnos unos a otros en público, sobre todo a quienes están más cerca de nosotros. Estos casos también revelan cuán de mal gusto y potencialmente destructiva puede ser esta práctica para la calidad de una relación.

En ambas ilustraciones, la corrección fue innecesaria, pues no le agregó valor real a la información que se estaba compartiendo. La esposa feliz que comentaba dónde habían estado de vacaciones no pretendía engañar, ya fuese Aruba o Barbados, las hermosas islas del Caribe que cuentan con maravillosas playas. Tampoco se propuso engañarnos aquel muchacho respecto a cuánto tiempo había pasado desde que aprendió a practicar el esquí acuático. Si fue hace dos años o tres, eso no importaba.

Ten cuidado con los hábitos que has desarrollado y estás practicando en tus relaciones familiares. Si bien es cierto que los miembros de tu familia no son perfectos y, como tú, pueden cometer errores involuntarios u olvidar los detalles exactos de una historia, la forma en que te relacionas con lo que dices mejorará o interrumpirá su relación. Si bien sus historias imperfectas no dañarán a nadie, tus correcciones constantes les dirán que hablar en tu presencia puede no ser seguro para ellos.

Hace unos meses, estábamos asesorando a una mujer que había estado casada durante quince años y tenía dos hijos en edad escolar. La mujer estaba muy molesta porque su esposo siempre estaba ocupado en el trabajo y nunca tenía tiempo para ella ni para los niños. Dijo: "Creo que mi marido ya no me ama. Durante diez años he estado esperando que llegue el día que esté menos ocupado, pero nada ha cambiado. Me cansé de esperar; quiero salir de este matrimonio miserable".

En otra ocasión hablamos con una dama que nos dijo: "¿Espera Dios que yo siga casada con un drogadicto? Mi esposo es uno de ellos. Cuando se vuelve violento o compra drogas con el dinero que necesitamos para pagar las cuentas, llego a temer por mi vida y por la de nuestros hijos".

Sentimos el profundo dolor de una mujer joven con quien hablamos hace unas semanas, pues comentó: "Hemos estado casados durante tres años, y mi esposo ya se olvidó de ser romántico. ¿Qué puedo decirle o hacer para motivarlo al romanticismo?"

Si bien las mujeres tienden a buscar a los hombres con más frecuencia con la que ellos lo hacen para hablar sobre sus relaciones, pudimos sentir la profunda carga del caballero con quien hablamos hace unos meses. Él nos confió: "Es imposible vivir con mi esposa. Cada vez que conversamos sobre algo importante, la plática termina en una pelea, porque todo debe hacerse a su manera. No importa la situación, el patrón es el mismo. Me siento anulado cuando hablo con mi esposa sobre cualquier cosa, porque ella cree siempre que tiene razón y que yo estoy equivocado. Como hombre que soy, tengo la impresión de que Dios espera que yo sea el líder en esta relación; pero con una mujer como mi esposa, no creo que sea posible lograr los propósitos de Dios en nuestro matrimonio. Estoy cansado y frustrado y ya no sé qué hacer".

Como afirmamos al comienzo de este libro, el matrimonio y las relaciones familiares son las experiencias más desafiantes que los seres humanos puedan tener. Cierto es que no hay familias perfectas porque no hay personas perfectas.

Es nuestra esperanza que al tomar decisiones sobre tu relación en los próximos días, independientemente de tu estado civil, seas casado, divorciado, viudo, que nunca te hayas casado, joven, de edad mediana o anciano, lo hagas con la confianza de que no estás solo en tu búsqueda de paz y felicidad.

A pesar de que las relaciones familiares saludables son difíciles de desarrollar y sostener, hoy más que nunca creemos que hay esperanza para las familias.

Y, sin embargo, la esperanza no se halla solo en los consejos que hemos compartido en estas páginas respecto a cómo responder de una mejor manera: tener iniciativa, hacer una pausa, pensar y elegir la respuesta correcta en tu interacción con tus seres queridos. La esperanza no solo radica en el hecho de que puedes buscar la orientación de asesores profesionales que pueden ayudarte a obtener una perspectiva y a procesar formas de mejorar tus habilidades para establecer relaciones más sólidas. La esperanza no solo reside en el hecho de recordar que todos los días se puede hacer depósitos en las cuentas bancarias emocionales de los miembros de tu familia. La verdadera esperanza está en las promesas de Dios de auxiliarte en situaciones que parecen imposibles, pues él dijo: "Para los hombres es imposible —aclaró Jesús, mirándolos fijamente—, pero no para Dios; de hecho, para Dios todo es posible" (S. Marcos 10:27).

Es muy significativo tener a Dios de tu lado. Búscalo en tu viaje por la vida, acude a él cuando tengas que tomar decisiones. Él quiere participar en tu vida, quiere hablarte cuando lees su Palabra y cuando clamas en oración.

La mejor decisión que puedes tomar con tu cónyuge para el bien de su familia es hacer de Dios la tercera columna de su matrimonio, el Guía y Consejero para ustedes y sus hijos, una verdadera fuente de esperanza cuando todo a su alrededor parece derrumbarse. Esta es su invitación para ustedes y sus seres queridos: "Mira que estoy a la puerta y llamo. Si alguno oye mi voz y abre la puerta, entraré, y cenaré con él, y él conmigo" (Apocalipsis 3:20).

¿Le darás una oportunidad? Esta es nuestra esperanza para tus relaciones familiares. Y más que solo esperar, oramos por ello.